les clefs

DE

MALLARMÉ

par

CHARLES CHASSÉ

AUBIER, ÉDITIONS MONTAIGNE, PARIS

LES CLÉS
DE
MALLARMÉ

QUELQUES OUVRAGES DU MEME AUTEUR

Styles et physiologie (Albin Michel).

Physionomie de la langue anglaise (Editions Universelles).

Lueurs sur Mallarmé (Editions de la Nouvelle Revue Critique).

D'Ubu-Roi au Douanier Rousseau (Editions de la Nouvelle Revue Critique).

Le Mouvement symboliste dans l'art du XIXe siècle (Floury).

TRADUCTIONS DE L'ANGLAIS

IZAAK WALTON : *Le parfait pêcheur à la ligne* (Stock, *épuisé*).

DOUGLAS JERROLD : *Les trente-six sermons de Madame Caudle* (Editions Universelles).

THOMAS BROWNE : *Religio Medici* (Stock).

THOMAS NASHE : *Jack Wilton ou le Voyageur malchanceux* (Ed. bilingue. Aubier).

CHARLES CHASSÉ

LES CLÉS
DE
MALLARMÉ

AUBIER
ÉDITIONS MONTAIGNE

PREMIÈRE PARTIE

LE VRAI VISAGE DE MALLARMÉ

Chapitre Premier

LES POÈMES DE MALLARMÉ ONT-ILS UN SENS?

Les contemporains de Mallarmé — et c'est encore demeuré aujourd'hui l'opinion de la plupart de ses admirateurs les plus enthousiastes — étaient convaincus que ses poèmes hermétiques, ceux de la seconde partie de sa vie, n'avaient pas de signification objective. Ils estimaient que ces pièces pouvaient avoir tel sens le matin, tel autre à midi et tel autre encore dans la nuit; ils étaient, de plus, persuadés que ces diverses significations étaient appelées à varier encore selon la personnalité du lecteur qui les examinait. L'œuvre de Mallarmé, pour eux, représentait la quintessence même de la doctrine symboliste qui voulait que le texte écrit par un auteur fût simplement le souple canevas sur lequel chacun serait autorisé à broder ses rêveries, le haschisch que chacun donnerait comme aliment à ses songes. « Une interprétation sensée — ´écrivait R. de Gourmont dans *Dissociation* (voir son volume sur *la Culture des Idées*) — est toujours possible; elle changera selon les soirs, peut-être comme changent les nuages, la nuance des gazons; mais la vérité ici et partout sera ce que la voudra notre sentiment d'une heure. » Avec vénération, il comparait le magicien Mallarmé au tailleur du conte d'Andersen tissant pour l'Empereur un manteau d'autant plus magnifique que l'étoffe était faite de fils invisibles.

Or, il se trouvait que, si certaines déclarations de Mallarmé semblaient confirmer cette thèse, ses assertions, par exemple, sur le rôle du poète qui est de « suggérer au

lieu de dire » et ses fameuses phrases sur « la page blanche »
qui serait la plus belle de toutes les œuvres, d'autres textes
de lui le désignaient comme le plus parnassien des gens de
son époque. Alors que les symbolistes ne connaissaient pas
d'épithète plus louangeuse que celle d'« indirect », Mallarmé, dans la « Prière d'insérer » qui accompagnait ses
Divagations, se classait parmi les auteurs les plus « directs »
de son temps; il exaltait d'ailleurs le « mot à mot » comme
méthode de travail; au rebours de Verlaine qui dédaignait
la Science « intruse en la maison », il respectait l'esprit
critique; en matière de versification, il restait fidèle au vers
classique; bref il méritait le reproche que, dans la *Plume,*
lui adressait Adolphe Retté, d'être resté « le dernier des
Parnassiens ».

Il y avait là un mystère; était-il possible que, sous les
apparences du symbolisme le plus éperdu, Mallarmé ciselât,
en recourant à quelque étrange procédé, des poèmes aux
contours extrêmement précis? Son obscurité était-elle due
à l'emploi de quelque « grille » dont il se servait pour
dissimuler le tréfonds de sa pensée? Ce qui tendait à le
faire croire, c'était quelques réponses ambiguës de lui
comme celle que citent les frères Tharaud dans *Mes années
chez Barrès :* « Quelqu'un lui ayant demandé des éclaircis-
sements sur un de ses poèmes : « Cherchez — répondit
Mallarmé — et à la fin vous trouverez une pornographie.
Ce sera votre récompense. » « Et, ma foi, concluait Barrès
en racontant cette plaisanterie, j'aime autant ça que son
absurde idée de vouloir faire de l'art une messe. »

Une réplique attribuée à Mallarmé est celle qu'il aurait
adressée à un admirateur le félicitant d'avoir, en quelques
mots, condensé le cosmos; Mallarmé aurait répondu : « Pas
du tout! Ce que j'ai décrit là, c'est mon buffet. » Ce qu'on
comprenait mal aussi, c'est l'acharnement avec lequel il
avait cherché à ce qu'aucune ligne écrite en clair par lui,
soit correspondance, soit esquisse d'un de ses poèmes, ne
fût connue du public. Il avait dit à Vallette, qui m'a
rapporté le propos, qu'il aurait souhaité être assez riche
pour payer quelqu'un chargé de retrouver dans l'univers
et de détruire toute ligne de sa main à laquelle le poète
n'aurait pas accordé son *imprimatur.*

Petit à petit, beaucoup de ces lignes allaient cependant

voir le jour et, assez bizarrement, du fait de ses partisans les plus orthodoxes qui, dans la fougue de leur vénération, ne pouvaient se résoudre à ce que des renseignements concernant leur maître fussent perdus à tout jamais. Quand on eut rapproché tous ces documents les uns des autres, le processus de la composition mallarméenne perdit beaucoup de son obscurité.

Progressivement, ceux des critiques qui n'étaient pas fermés à la philologie commencèrent à saisir l'importance qu'avaient tenue dans les plus hautes préoccupations de Mallarmé ce que les premiers mallarméens avaient catalogué comme d'indignes besognes auxquelles leur héros avait dû se résigner, en particulier sa *Petite philologie anglaise* « à l'usage des classes et des gens du monde » où tout le secret de sa linguistique était précisément condensé.

Un des premiers, Thibaudet, a eu le mérite de deviner que chaque poème hermétique de Mallarmé avait un sens tout à fait précis et souvent il a entrevu ce sens exact, ce qui souleva les protestations des mallarméens d'alors et notamment de Jean Royère qui n'admettait pas qu'un poème de Mallarmé pût être autre chose qu'une incantation. Ce qui justifiait la position de Jean Royère, c'est que Thibaudet n'apportait pas de preuves de ce qu'il avançait.

Certes, il n'a pas, depuis, manqué d'exégètes : Soula, Mauron, Kurt Wais, Beausire et bien d'autres, pour fournir des interprétations des poèmes de l'écrivain, mais ce n'étaient que des interprétations individuelles et par suite discutables, quelques tentantes que plusieurs pussent être. Ce qu'il eût fallu découvrir (mais était-ce possible?) c'eût été une interprétation provenant de Mallarmé lui-même, une explication organique de sa poésie reposant sur des théories formulées par l'écrivain en personne; ce qui manquait, c'était une clé ne s'adaptant pas seulement à deux ou trois vers isolés mais permettant d'avoir accès à l'ensemble de l'œuvre hermétique.

J'ai dit : l'œuvre hermétique car ce à quoi je me suis ici presque exclusivement attaché (n'étudiant les périodes précédentes que pour y déceler des explications à la période hermétique), c'est à déchiffrer seulement les poèmes de Mallarmé postérieurs à 1876 environ, moment où il a commencé à édifier sa technique sur l'emploi systématique des mots dans leur sens étymologique. Jusque-là, en effet, même dans les vers où la pensée est obscure, il n'y a pas de clé à découvrir. La carrière poétique de notre auteur, après ses premiers tâtonnements, peut *grosso modo* se résumer ainsi : d'abord influence très nette de Baudelaire ; puis période de splendeur : Mallarmé devient lui-même, il compose *Hérodiade* et l'*Après-midi d'un Faune*, riches en mystérieuses incantations ; il nourrit de vastes projets ; il rêve de produire une œuvre en plusieurs gros volumes. Soudain tout s'arrête ; pendant une vingtaine d'années, il ne publiera plus que de très rares poèmes, en dehors de nombreux quatrains ornant des enveloppes de lettres ou des sacs de bonbons. Comme l'a dit Robert Vivier en 1948 dans les *Cahiers du Nord,* Mallarmé revient aux petits sujets, son imagination se « rétrécit ». « Nous touchons ici — dit Vivier — à ce qu'il faut bien appeler le drame de la création mallarméenne. Les derniers poèmes sont les débris d'une très haute espérance. »

Pour dissimuler cette stérilité dont, par instants, il tente, comme nous le verrons, de se faire une gloire et un programme, il se réfugie dans l'hermétisme en employant un procédé dont il cherche à cacher le secret, secret que je crois avoir percé et qui, à partir du moment où on l'a entrevu, ne peut plus maintenir autour de diverses pièces l'aura de mystère dont elles étaient jusqu'alors entourées. D'autant qu'une fois le voile définitivement levé, il faut bien constater que, derrière ce voile, c'étaient parfois des descriptions très précises, érotiques ou même scatologiques qui apparaissaient. Certes, la magie des évocations d'*Hérodiade* resurgit par intervalles sous la plume du poète mais enfin la pensée est dépourvue de profondeur et, même, dans le cas des *Vers de circonstance,* les rimes-calembours sont parfois trop faciles pour qu'on puisse parler d'habiletés prosodiques.

J'ajouterai que j'ai laissé en dehors de mon examen (sauf quand j'y distinguais des documents utiles pour mon interprétation d'autres pièces) et *Igitur* et le *Coup de dés* qui, psychologiquement (et chronologiquement, en ce qui concerne *Igitur*) n'appartiennent pas au cycle hermétique de l'œuvre mallarméenne. Dans ces deux ouvrages.

en effet, ne se manifestent ni l'emploi des mots dans leur sens étymologique ni la passion des rimes riches, si caractéristiques de la dernière période de la vie de Mallarmé. Les sujets non plus ne sont pas du tout du même ordre; ce sont des survivances de ses préoccupations d'autrefois et qui, philosophiquement, demeurent par surcroît, d'inspiration fort confuse. Je doute fort que, à Mallarmé lui-même, *Igitur* et le *Coup de dés* aient donné une sensation de complète cohérence, alors que, dans les poèmes hermétiques, une fois la clé procurée le lecteur sera surtout choqué par l'intrusion réaliste d'une précision trop minutieuse.

Chapitre II

ÉSOTÉRISME ET PHILOLOGIE

C'est depuis plus de quarante années, depuis 1912 exactement, que je me suis mis à la recherche de la clé de l'hermétisme mallarméen et c'est après bien des fouilles méthodiques entreprises à travers la biographie et l'œuvre du poète que je suis arrivé à discerner la piste qui, me semble-t-il, conduit vers la vérité.

Ce qui m'avait mis en chasse, c'était une circonstance tout à fait fortuite : j'avais été nommé, en 1912, professeur d'anglais au lycée d'Avignon, dans une chaire qui avait été occupée longtemps avant moi par Mallarmé. L'occasion était bonne — me dis-je — pour recueillir quelque information sur mon illustre prédécesseur. J'entrai en relations avec plusieurs de ses anciens élèves, de ses anciens collègues. Sur la carrière universitaire de Mallarmé, je me procurai divers documents que le *Mercure de France* voulut bien alors me publier. Mistral, à cette époque, eut l'amabilité de me communiquer une série de lettres que Mallarmé lui avait adressées. Ces lettres, d'ailleurs, je ne pus immédiatement les livrer au public, la fille de Mallarmé s'étant opposée à ce que parût une ligne de cette correspondance. Je lui avais pourtant offert de supprimer tout ce que ces lettres pourraient avoir d'intime. Mais non, ce qui lui paraissait répréhensible, c'était que l'on publiât une seule ligne en clair du poète. Ce fut seulement en 1921 que, Geneviève Mallarmé étant morte, le Dr Bonniot, gendre de Mallarmé, désirant lui-même faire connaître des textes inédits de son beau-père, m'autorisa à publier dans le

Mercure les Lettres de Mallarmé à Mistral. La consigne du silence étant désormais levée, l'exégèse de Mallarmé allait devenir moins difficile. D'autres lettres de Mallarmé, allaient maintenant voir le jour, ainsi que de précieuses variantes de ses poèmes. De ces variantes, nous sommes surtout redevables au Dr Mondor, un des principaux collectionneurs de l'œuvre inédite de Mallarmé. La plupart de ces variantes ont été rassemblées, par lui, dans l'Edition de la Pléiade, avec le concours de G. Jean-Aubry. Le relevé de ces variantes allait m'être d'un grand secours pour l'explication de nombreux passages de Mallarmé.

Alors, en effet, que le Professeur Mondor se contentait dans son culte pour le poète de rassembler pieusement et en violation, il est vrai, des vœux formels de Mallarmé sur ce point, toutes les pages dont son maître n'avait pas donné de bon à tirer, je me suis efforcé de chercher si tous ces documents, une fois rapprochés les uns des autres, pourraient me fournir des pistes intéressantes pour mes recherches.

En même temps, j'essayais de démêler les conceptions, tant mystiques que philologiques qui avaient pu conduire Mallarmé à recourir à l'hermétisme. Certains des motifs qui l'y ont incité tiennent à des causes personnelles (peut-être d'ordre surtout physiologique) ; d'autres tenaient au milieu dans lequel il a vécu. Quelles étaient les idées flottant dans l'air à cette époque et qui ont pu déterminer sa décision? Les doctrines des théosophes, les opinions des philologues auraient-elles agi sur lui? Voilà ce que nous allons maintenant nous demander avant de passer aux raisons plus individuelles qui ont provoqué son choix.

Mallarmé doit-il être considéré comme un écrivain ésotérique? L'obscurité de son œuvre porte à le croire, comme aussi sa conviction qu'un poète ne devrait travailler que pour des initiés ; de même certaines de ses doctrines, beaucoup des thèmes choisis par lui ; de même encore l'attraction qu'exerçaient sur son esprit les livres et les traditions occultistes. D'autre part, la science officielle conservait pour lui un grand prestige, et il a fortement douté de la persistance d'une conscience individuelle après la mort.

Cette hésitation entre le mysticisme et le positivisme est justement très caractéristique des hommes de sa génération, qui, élevés dans le culte de la raison, ont assisté vers 1885 à l'éclosion du mouvement symboliste et ont senti les opinions de leur adolescence très ébranlées par le désir de croire qu'ils rencontrent chez leurs cadets. Les hommes du Second Empire, très réalistes, avaient été profondément influencés par les théories rigides d'Auguste Comte qui, d'ailleurs, s'étaient peu à peu infléchies vers un retour à la foi. Dans le roman, l'école dominante avait été le naturalisme qui se piquait de ne s'intéresser qu'aux faits, impartialement enregistrés, de la vie sociale. Les poètes étaient des Parnassiens pour qui le monde extérieur seul existait et qui, comme Verlaine à ses débuts, se bornaient à « ciseler des vers comme des coupes ». Dans ses tableaux, Courbet se refusait à introduire des anges parce que, disait-il, il n'en avait jamais vu .

Les symbolistes, au contraire, se réclamaient de la philosophie de Schopenhauer dont Burdeau avait traduit « Le Monde comme Volonté et comme Représentation ». L'univers, désormais, n'était plus pour les hommes de lettres et les artistes qu'une projection en dehors de soi de l'âme humaine. « Une vérité nouvelle, disait Rémy de Gourmont, est entrée récemment dans la littérature et dans l'art. C'est une vérité toute métaphysique et a priori (en apparence toute jeune, puisqu'elle n'a qu'un siècle, et vraiment neuve puisqu'elle n'avait pas encore servi dans l'ordre esthétique) ; cette vérité évangélique et merveilleuse, libératrice et innovatrice, c'est le principe de l'idéalité du monde. Par rapport à l'homme, sujet pensant, le monde, tout ce qui est extérieur au moi, n'existe que selon l'idée qu'il s'en fait. Nous ne connaissons que des phénomènes, nous ne raisonnons que sur des apparences ; toute vérité en soi nous échappe. L'essence est inattaquable. C'est ce que Schopenhauer a vulgarisé sous cette formule si simple et si claire : le monde est une représentation. Je ne vois pas ce qui est ; ce qui est, c'est ce que je vois. » (*Premier livre des Masques*).

C'est l'époque où se sont produites de brusques conversions au catholicisme ; avec ardeur, Huysmans et Retté passent du satanisme à la Foi ; ils vont, suivant le mot de Retté, « du diable à Dieu » ; le Hollandais Verkade, en même temps qu'il s'enthousiasme pour les doctrines picturales de Gauguin, éprouve l'impérieux besoin de devenir

catholique; non seulement, pendant qu'il réside dans le
village breton de Saint-Nolff, il invite un jeune meunier
à lui servir de parrain, mais il prononce bientôt ses vœux
de moine. Quelques jours après le baptême de Verkade,
Ballin, un peintre danois qui habitait avec Verkade à
Saint-Nolff, décide lui aussi de se faire baptiser.

Mais cette renonciation au rationalisme, cette négation
du monde extérieur ne s'accomplissent pas chez tous avec
la même soudaineté. Beaucoup de ceux qui ont été élevés
dans la libre-pensée ne peuvent céder entièrement, quand
ils sont adultes, à l'attrait d'un symbolisme dont, pourtant,
ils sont pénétrés. Il leur semble indispensable de baser sur
l'érudition l'idéalisme dans lequel ils baignent, et voilà
qui nous aide à comprendre l'étonnant développement,
alors, et de la Théosophie et de l'Occultisme, aussi bien
chez les artistes que chez les écrivains. Une existence tout
à fait parallèle à celle de Mallarmé à ce point de vue,
c'est celle de Gustave Moreau, et le meilleur moyen, sans
doute, de se glisser dans la personnalité de l'auteur de
Divagations, c'est de se renseigner sur celle du peintre
d'*Œdipe et le Sphinx.* Né de parents athées, Moreau, qui
n'avait pas reçu le baptême, n'appartenait à aucune Eglise,
mais, très documenté sur l'histoire des religions, il emprun-
tait aux diverses mythologies des détails symboliques qui
figurent dans les costumes compliqués de ses personnages.
Ce qui lui plaisait, c'était de retrouver des mythes similaires
dans les divers cultes et qui constituent l'expression, sous
des formes variées, des désirs éternels de la race humaine.
C'est ainsi qu'à son Prométhée il donnait le visage du
Christ et, pour lui, les amours du Cygne et de Léda (blancheur de cygne et blancheur de femme entremêlées) en
arrivaient, de façon inattendue, à symboliser le mystère
chrétien de l'Incarnation. Mysticisme sans doute, mais qui
n'a rien de fondamentalement contraire aux doctrines
d'Auguste Comte, surtout celles de sa dernière période.
Ce qui distinguait Gustave Moreau des symbolistes purs de
son temps, c'est qu'il n'admettait le rêve que « bien
ordonné »; il détestait « rêvasser », comme il disait avec
mépris. La faculté qu'il exaltait, c'était « la raison imagi-
native ». Pour lui, Odilon Redon et Péladan étaient des
déséquilibrés. En fait, il y avait aussi chez lui déséquilibre.

« Mon plus grand effort, mon unique souci, ma préoccupation constante, a déclaré Moreau, est de diriger le mieux que je puis cet attelage à conduire d'un pas égal : mon imagination sans frein et mon esprit, critique jusqu'à la manie ». Plutôt que de son âme, comme les symbolistes purs, c'est de son « cerveau » que, sans cesse, il parle. Pendant les angoisses de son agonie, il interdit à son médecin, dit Desvallières, l'emploi de tout stupéfiant, de toute piqûre anesthésiante. « Je veux conserver mon cerveau intact jusqu'au bout. C'est mon bien le plus précieux », affirmait-il. Jamais il n'a peint pour le seul plaisir de peindre. « L'évocation de la pensée par l'arabesque et les moyens plastiques, voilà, disait-il, mon but. » Cependant, à un autre moment, il avouait : « Mon cerveau, ma raison me semblent éphémères et d'une réalité douteuse; mon sentiment intérieur seul me paraît éternel et incontestablement certain. »

Ce qui est indéniable, c'est que Moreau a de plus en plus évolué vers l'orthodoxie catholique. Chez l'universitaire qu'était Mallarmé, l'esprit critique était autrement tenace et jamais le poète n'a manifesté de confiance en une autre vie. Souvent, même, le suicide lui est apparu comme un moyen recommandable pour échapper à l'obsession des besognes quotidiennes. Nettement, il prétendait ne pas croire au « magique espoir du corridor ». Un de ses thèmes les plus chers, dans ses poèmes funèbres, est que, de l'individu une fois mort, il ne subsiste rien, sauf le renom qu'aura laissé son œuvre. Même pour ce qui touche à la forme poétique, il était resté très fidèle aux pratiques du Parnasse; c'est avec émotion qu'il annonce dans sa Conférence d'Oxford : « On a touché au vers », ainsi protestant contre les expériences de Verlaine et de Gustave Kahn; il n'en reste pas moins que ces expériences l'attiraient et il en est presque venu à admettre la beauté du vers libre. De même façon, sa sensibilité souffrait de la certitude que la mort d'un homme était pour lui la fin de tout. Il souhaitait que l'occultisme fût possible et démontrable, car, avec joie, Mallarmé eût alors concilié son désir de précision et sa passion de l'infini.

C'est à ce besoin inextinguible chez lui d'imaginer un monde idéal (à la fois plus beau et plus certain que l'univers

matériel où nous sommes emprisonnés), qu'est attribuable
sa rupture avec René Ghil. Un mardi que Mallarmé discou-
rait de l'Idée comme seule représentative de la vérité du
monde, « Mallarmé, dit Ghil, se tourna vers moi et, avec
quelque tristesse peut-être, mais une intention nette, il
me dit : Non, Ghil, l'on ne peut se passer d'Eden. Je
répondis doucement, mais nettement aussi : « Je crois que
si, cher Maître. ». » C'est ainsi que se rompit leur amitié
Mallarmé supportait donc beaucoup plus aisément les arguments portés contre le rationalisme que les attaques dirigées
contre le rêve.

Dans une thèse sur « L'expression littéraire dans l'œuvre
de Mallarmé » (Droz, 1947), Jacques Scherer a apporté
quelques précisions sur les relations qui ont existé entre le
poète et les occultistes de son temps. Dans une lettre du
11 septembre 1866, Villiers de l'Isle-Adam, toujours hanté
par les préoccupations de ce genre, lui conseille de lire
Dogme et Rituel de Haute Magie, d'Eliphas Lévi, et il n'y
a pas de doute que de longues conversations avec Villiers
l'ont orienté vers ces recherches. Mallarmé fréquentait
d'ailleurs la Librairie de l'Art Indépendant, dont le directeur, Edmond Bailly, a été en France un des principaux
introducteurs du Mouvement Théosophique. Cette librairie,
a écrit Victor-Emile Michelet, « joignait les esprits du
symbolisme à ceux de l'ésotérisme ». C'est là surtout que
l'écrivain eut l'occasion de discuter avec Villiers et Odilon
Redon, comme l'explique Michelet dans *Les Compagnons
de la Hiérophanie*, ouvrage qui a pour sous-titre : « Souvenirs du Mouvement hermétiste à la fin du XIXᵉ siècle ».
En 1890, l'auteur de la *Prose pour Des Esseintes*, remer-
ciait V.-E. Michelet de l'envoi d'un livre : *L'Esotérisme
dans l'art*, par une lettre qu'il signa : « Votre très persuadé », et où il affirmait : « L'occultisme est le commentaire des signes purs, à quoi obéit toute littérature, jet
immédiat de l'esprit. »

La Franc-Maçonnerie, de plus, à laquelle Mallarmé a
de bonne heure appartenu (très jeune, il s'était inscrit à
la Loge de Sens à ce que m'a assuré un dignitaire de la
Maçonnerie), était alors très portée au mysticisme et ce
serait sans doute une étude très fructueuse que de déterminer les rapports entre la littérature symboliste et la

Maçonnerie. Un des principaux recruteurs de la Maçonnerie dans les milieux littéraires était Catulle Mendès (il existe une lettre très curieuse de Maupassant se dérobant aux invitations de Mendès qui cherchait à faire de lui un adepte de cette société). Non seulement le terme de Rose-Croix désigne un grade maçonnique, mais à l'intérieur des Loges il y a eu des groupements Rose-Croix s'efforçant de donner une tendance occultiste à l'association. Il est possible que Mallarmé ait été un Franc-Maçon de cette espèce, car l'expression Rose-Croix se retrouve plusieurs fois dans ses écrits. Il eut même un instant l'idée de créer une société secrète réservée aux poètes, comme en témoigne sa lettre à Mistral du 1ᵉʳ novembre 1873 où, comme par hasard, se retrouve encore le nom de Mendès : « Tu aimes les choses qui ont une grande allure; voici de celles-là. Ouvre et lis le pli qui accompagne cette lettre. Deux feuilles, l'une pour toi, c'est-à-dire pour la Provence, car les chefs-lieux de sections françaises sont Paris et Avignon; l'autre pour Zorilla, que tu connais, c'est-à-dire pour l'Espagne. S'il y a une subdivision nécessaire en Catalogne, tu l'adresseras à qui de droit, muni d'un troisième programme que nous tenons à sa disposition. Mendès et moi, qui avons eu l'idée développée en tête des statuts, nous occupons des quelques détails généraux d'organisation, mais notre action finit là : Hugo, les maîtres de tous pays, voilà ceux qui apparaissent aussitôt que nous disparaissons. L'Angleterre abonde dans notre visée, l'Italie de même. Mon cher ami, c'est tout simplement une franc-maçonnerie ou un compagnonnage. Nous sommes un certain nombre qui aimons une chose honnie : il est bon qu'on se compte, voilà tout, et qu'on se connaisse. Que les absents se lisent et que les voyageurs se voient. Tout cela indépendamment des mille points de vue différents qui ne le sont plus, du reste, après qu'on s'est étudié et qu'on a causé. Voilà, il faut t'y mettre de tout cœur, comme tu sais entreprendre quelque chose : convoque une félibrejade et écris tra-los-montes... Que tout le Parnasse donne déjà la main à tout l'Armana; et il y a une jolie chose. Tout le Parnasse? Tout l'Armana? Non, les poètes doués de quelque maîtrise, seuls comme membres curieux et dont on doive parler un jour. Il y a, je crois, à choisir tant soit peu, quoique sans sévérité extrême. Scrute ces statuts, afin qu'il y ait une unité authentique dans les commencements de chaque section; et, cependant, agis encore selon les exigences locales. Je les annote du reste à ton usage. »

Le goût du mysticisme se manifeste dans les théories philologiques de Mallarmé dont on oublie trop qu'elles sont à la base même de son art poétique. La plupart des mallarméens ont passé dédaigneusement sous silence sa « Petite philologie à l'usage des classes et des gens du monde », en s'imaginant que c'étaient là des artifices peu avouables auxquels le poète recourait pour gagner un peu d'argent. Cette Philologie en réalité est restée presque entièrement invendue et elle était évidemment invendable. Quand le poète parle des « besognes par lesquelles s'interrompt sa faculté poétique », ce n'est pas tellement à ce livre qu'il fait allusion comme on l'a cru mais bien à ses recueils scolaires de morceaux choisis et surtout à son métier de professeur qui devait être pour lui bien pénible puisque, comme il l'écrivait, il rentrait continuellement chez lui avec des bonshommes en papier accrochés à son pardessus.

A chaque lettre de l'alphabet, il attribuait une valeur symbolique, une signification en soi. De C, par exemple, voici ce qu'il déclare : « Les mots en C, consonne à l'attaque prompte et décisive, se montrent en grand nombre, recevant de cette lettre initiale la signification d'actes vifs comme étreindre, feindre, grimper, grâce à l'adjonction d'une L; et, avec R, d'éclat et de brisure : CH implique souvent un effort violent et garde de cela une impression de rudesse qui n'a rien de défavorable. » De K, il assure que cette gutturale, là où elle subsiste, apporte généralement le sens de nodosité, de jointure, etc. « Noter encore, ajoute-t-il, le groupe KIN, KIND, KING, d'où ressort une notion de bonté familiale. » « F indique de soi, fait-il remarquer encore, une étreinte forte et fixe; ...unie aux liquides ordinaires B et R, elle forme avec L la plupart des vocables représentant l'acte de voler ou battre l'espace, même transposé par la rhétorique dans la région des phénomènes lumineux ainsi que l'acte de couler, comme dans les langues classiques; avec R c'est tantôt la lutte ou l'éloignement, tantôt plusieurs sens point apparentés entre eux. »

Il est juste de signaler que cette vénération pour la puissance de la lettre en tant que lettre, si elle se rencontre dans les grimoires de sorcellerie, était admise à l'époque de notre auteur par les philologues dont les hypothèses sont alors singulièrement proches de celles des occultistes. Ce respect de la lettre existait chez l'inspecteur général qui a le plus favorisé la carrière administrative de Mallarmé et qui était attiré au moins aussi fortement que lui par les mystères : Emile Chasles, qui, dans un opuscule de 1885 sur « la Philologie appliquée », écrivait : « Qu'on fasse abstraction d'abord de l'idée pour observer le son ou la nature des lettres qui le représentent. Ces lettres ont chacune leurs propriétés spéciales, leurs affinités particulières, des transformations imprécises. »

Quand le philologue était, par surcroît, franc-maçon et occultiste, ce qui était souvent le cas, les développements sur les mérites personnels de chaque lettre de l'alphabet devenaient très abondants. Après avoir lu ce que Mallarmé pensait des possibilités de la lettre F, il est intéressant de relever ce que Ragon avait dit de la même lettre dans son livre *De la Maçonnerie Occulte,* qu'admirait beaucoup Mme Blavatsky : « F est un son tranchant, semblable au bruit de l'air traversé avec vitesse. Foudre, fougue, fureur, fusée, flèche, fendre, fuir sont des mots expressifs qui peignent ce qu'ils signifient. Ce caractère rend bien ce qui passe avec rapidité : Fortune, fumée, faveurs, fleurs, fêtes, flot, fleuve. Avec quelle énergie le son de cette lettre exprime le coup tranchant et la vitesse de la faulx dont sa forme est l'image! Symbole de destruction, elle est l'initiale des mots : funèbre, funérailles, famine, funeste, fin. »

Sur un autre point essentiel et très net qui, d'ailleurs, est lié à ce respect pour les caractères typographiques auxquels nous venons de faire allusion, philologues et occultistes étaient à cette époque d'accord : c'est sur le fait d'une langue unique dont tous les idiomes modernes auraient procédé. Pendant longtemps, les théologiens admettaient comme indiscutable que l'homme, dès sa création, avait été mis en possession d'une langue toute formée; l'évêque Walton, au XVIIᵉ siècle, en donnait pour preuve les entretiens d'Eve avec le serpent. Son contem-

porain français le P. de Thomassin, dans *La Méthode
d'enseigner la grammaire et les langues,* aboutissait à cette
conclusion que tous les humains étant nés d'Adam et d'Eve,
il était certain que toutes les langues dérivaient de l'hébreu.

C'est à l'hébreu langue-mère que se rallièrent pendant
des siècles et les savants et le clergé. Les celtomanes pourtant et parmi eux La Tour d'Auvergne préféraient croire
que la langue du Paradis Terrestre était le breton. A la fin
du xviiie siècle et au commencement du xixe, les découvertes des orientalistes eurent pour résultat qu'une nouvelle
langue-mère réunit presque tous les suffrages, c'était le
sanskrit dont le nom même signifiait « langue parfaite » et
dont le prestige éblouissait d'autant plus les chercheurs
qu'elle était tenue pour avoir été composée par des mages
et réservée à un petit nombre d'initiés. Papus, qui, m'a dit
M. Chaboseau fils, a été en relations avec Mallarmé, s'était
à tel point passionné pour le sanskrit qu'il allait publier
en 1898 chez Chamuel *Les premiers éléments de la
Langue Sanskrite,* plaquette où il disait : « Les secrets
de la tradition transmise par l'Orient sont renfermés
exotériquement dans la langue sanskrite. Lors donc que
l'étudiant se trouve en présence d'une révélation quelconque
présentée comme dérivant de la traduction conservée par
l'Orient, il doit se demander : « Celui qui fait cette révélation sait-il au moins lire le sanskrit? » Et sur ce, Papus
renvoyait ses lecteurs à la grammaire de la langue sanskrite
par E. Burnouf et Leupol. Cet E. Burnouf n'est pas, men-
tionnons-le chemin faisant, Eugène Burnouf, professeur au
Collège de France, mais son cousin Emile Burnouf, lui
aussi orientaliste et qui, d'accord avec Leupol (tous deux
appartenaient à ce qu'on a nommé l'Ecole de Nancy)
demandaient avec insistance que le sanskrit fût enseigné
dans tous les établissements secondaires.

Il ne faut pas oublier quand on traite de tous ces problèmes que la science proprement dite de la linguistique
ne prend corps que pendant la deuxième moitié du
xixe siècle, quoiqu'on puisse considérer, comme dit Vinson
(*Les linguistes français,* Revue Anthropologique, septembre
1917) que « la linguistique date du jour où on a reconnu
la parenté du sanskrit avec le grec et le latin et cette
indication a été donnée de 1763 à 1767 dans des lettres du

P. Coerdoux, supérieur des Jésuites de Pondichéry, à An-
quetil-Du Perron ». C'est en 1850 que Schleicher distingue
la linguistique de la philologie ; et c'est en 1876 qu'Hove-
lacque publie sur la linguistique son remarquable ouvrage
dans lequel il démontre qu'il n'est pas possible d'appa-
renter les langues indo-européennes aux langues sémitiques.
Déjà, en 1841, Chavée, dans son *Essai d'étymologie
philosophique,* s'était ému de constater qu'il semblait
y avoir incompatibilité absolue entre le sanskrit et l'hébreu,
et qu'il n'était par conséquent pas possible de leur assigner
une origine commune. Cette découverte conduisit Chavée,
qui était prêtre, à quitter l'Eglise. Redevenu laïque, il
publiait en 1855 *Moïse et les langues,* travail auquel
en 1862 il donnait pour titre *Les Langues et les Races.*
   La philologie considérée sous un angle aussi étrange
plaisait d'autant plus à notre écrivain que le franc-maçon
de la Loge de Sens y retrouvait une des notions chères aux
Rose-Croix qui prétendaient connaître une langue universelle, laquelle n'était autre que l'idiome parlé par Adam
et Eve dans le Paradis Terrestre, moyen d'expression qui
aurait disparu (sauf pour quelques initiés) au moment de
la construction de la Tour de Babel, lorsque le Seigneur
punit l'orgueil des hommes en leur infligeant la confusion
des langues dont nous souffrons encore aujourd'hui. Suivant
plusieurs occultistes, il s'agissait même d'une langue plus
ancienne encore qu'Adam et dont les habitants de l'Eden
ne parlaient qu'un dialecte corrompu. C'était la langue des
Préadamites, êtres supérieurs à l'humanité et fils des anges.
   Toutes ces idées de diverses origines s'étaient agglutinées
dans l'esprit de Mallarmé, qui se comparait tantôt à un
sylphe enfermé ici-bas dans une pierre, tantôt à un cygne
immobilisé dans un lac glacé ; un des plus magnifiques
sortilèges qui pourraient lui permettre de se libérer de cette
servitude ne serait-il pas, pour lui, de recréer la langue
universelle des lointains ancêtres et de reprendre ainsi
contact avec le passé ?
   Ce n'est pas seulement au poète mais à plusieurs savants
réputés d'alors que la fondation de la Société Théosophique apparut comme un événement de première grandeur
permettant désormais d'envisager une reprise de relations
entre la Science et la Tradition. Flatté de constater l'intérêt

que les occultistes portaient au sanskrit et aux études orientalistes, Emile Burnouf publiait dans la *Revue des Deux Mondes*, le 15 juillet 1888, un article sur le Bouddhisme en Occident, dans lequel il disait : « C'est un des phénomènes les plus intéressants sinon les plus inattendus que la tentative faite en ce moment de susciter et de constituer dans le monde une société nouvelle appuyée sur les mêmes fondements que le Bouddhisme. Ses membres se groupent sous des noms orientaux mis en tête de leurs publications : Isis, Lotus, Sphinx, Lucifer. La Société française l'Isis, poursuit-il, compte déjà des noms distingués qu'il est inutile de consigner ici. » « La Société Théosophique, dit Burnouf, met en premier plan la Science comme nous la comprenons aujourd'hui, et la réformation morale. » Pour Burnouf, le développement de la Société Théosophique est la seule chance qui nous reste d'empêcher dans le monde une révolution sanglante car, seule, la Théosophie peut rapprocher toutes les classes sociales dans un même sentiment d'amour mutuel. Ce triomphe n'est, il est vrai, possible que si la Société continue à demeurer en accord complet avec la Science qui, de son côté, n'aura aucune peine à se rallier au Bouddhisme, puisque c'est une doctrine à la fois morale et religieuse.

Un retour collectif de l'humanité à l'âge d'or de l'Eden ou, mieux encore, à l'époque des Préadamites, demanderait malheureusement bien des années, mais ne serait-il pas possible à une élite d'accélérer le franchissement des étapes? De cette élite, Mallarmé était convaincu qu'il faisait partie non seulement parce qu'il était initié, de par ses fonctions de poète, mais encore parce qu'il descendait (c'était sa conviction) des Elohim. Les Elohim, suivant certains textes Kabbalistiques, étaient ces êtres supérieurs, ces anges qui avaient existé avant Adam et qui, suivant un obscur passage de la Genèse, se seraient unis aux filles des hommes. Dans les cercles symbolistes, il était souvent question de ces Elohim que les commentateurs orthodoxes de la Bible tenaient simplement pour un pluriel respectueux désignant Jéhovah; c'est dans ce sens de puissance divine que Villiers de l'Isle-Adam emploie Elohim dans l'Annonciateur (*Contes Cruels*), lorsqu'il mentionne « la réprobation » ou « le signe » d'Elohim. Elohim a une signifi-

cation intermédiaire dans le livre de P. Lecour paru en
1839, *Les Elohim ou les Dieux de Moïse,* ouvrage où
il présente Moïse comme ayant servi de lien entre le
polythéisme égyptien et le monothéisme hébreu, les Elohim
ayant été à l'origine des divinités multiples. Mais, dans
le roman de Paul Adam, *Les Feux du Sabbat,* les Elohim
sont bien des anges ou des fils d'anges, presque des égaux
de Dieu, ce qui les conduisit à se révolter contre Jéhovah.
Je ne crois pas, à vrai dire, que le mot d'Elohim se rencontre à proprement parler dans les textes de Mallarmé
mais tout indique qu'il était fort au courant de tout ce
qui concernait les Préadamites. Ce mot de Préadamite se
lit appliqué à un roi dans le *Vathek* de Beckford dont
il a publié une édition. De plus, il est l'auteur d'*Igitur;*
or, dans la version latine de la Genèse, c'est « Igitur »
qui commence le verset où il est parlé de l'union des anges
avec les filles des hommes; enfin, le sous-titre d'*Igitur,* qui
est généralement admis comme une confession personnelle
du poète a pour sous-titre « La folie d'Elbehnon »; or,
pour R. de Renéville, Elbehnon est l'expression désignant
un descendant des Elohim. Le plaisir qu'éprouvait Mallarmé à se croire héritier des Elohim ne surprendra pas
si l'on se souvient qu'à plusieurs reprises il a exprimé la
répulsion que lui inspirait la pensée d'être né, par les
procédés usuels, de ses parents légitimes et son regret de
n'avoir pas été enfanté par quelque mandore « au creux
néant musicien ». Il est très piquant de rapprocher aussi
le cas de Mallarmé de celui d'un de ses contemporains qui
n'a cessé, lui, de se présenter ouvertement comme étant
descendu en ligne droite des Elohim. Je songe à Péladan
qui, lorsqu'il eut été convoqué devant un conseil de révi-
sion, s'insurgea avec véhémence contre ce manque d'égards
dans une lettre qu'il adressa à tous les journaux : « On
insulte d'un examen de maquignon la nudité de mon corps;
on me touche, on me toise comme on eût fait d'un cochon,
moi, tabernacle d'une âme immortelle, méditateur préma-
turé de l'Apocalypse. » Il n'admettait pas qu'un descendant
d'Elohim fût ainsi malmené, d'autant plus incontestablement descendant d'Elohim qu'ayant scruté sa généalogie
familiale, il était arrivé à cette conclusion qu'il comptait
parmi ses ancêtres des mages de Chaldée, ce qui l'autorisait

à porter le titre de Sâr. De son père, Péladan parlait comme d'un « Oelohi ». Dans une de ses pièces de théâtre, *Le Fils des étoiles*, le principal personnage est le pâtre chaldéen Oelohi, en qui il est facile de reconnaître l'auteur du *Vice Suprême.* C'est à propos de l'Elohisme de Péladan que Léon Bloy composa son *Eloi, fils des Anges,* plus tard recueilli par lui dans le volume *Belluaires et porchers.* Bloy y raillait « le dernier des élohistes latinisés, ainsi qu'il s'est représenté lui-même. Ce n'est rien moins que les anges en commun avec les filles des hommes qui ont engendré sa famille. Il cherche partout ses consanguins dispersés sur la terre, frères et sœurs naturellement sublimes (1). »

Les poètes et les romanciers ne sont pas seuls d'ailleurs à tourner leurs regards vers les Elohim. Dans un livre d'érudition sur les *Temps Mythologiques,* publié en 1876 par Moreau de Jannès, fils lui-même d'un archéologue très estimé, les Elohim sont aussi très souvent cités. « C'est aux Elohim, dit Moreau de Jannès, que Jéhovah s'adresse lorsqu'il les consulte sur la punition qu'il convient d'infliger à Adam, " car il a goûté de l'arbre de la Science et le voici maintenant semblable à nous, sachant le bien et le mal ". » Suivant le même Moreau de Jannès, « l'histoire d'Israël nous apprend que le mot Elohim servait à dénommer les juges qui forment une des plus hautes classes de la nation ». Dans un document phénicien, poursuit-il, document appelé le *Sanchoniathon,* Elohim désigne les chefs des tribus qui se révoltent contre Ouranos. De leur côté, les Arabes nomment ainsi les familles de génies, auxquelles ils confèrent le titre de Beni-Elohim ou Aoulad-Allah, fils de Dieu. Serait-ce ce nom de Beni-Elohim que Mallarmé aurait transformé en Elbehnon, formule d'un hébraïsme douteux et sur laquelle M. R. de Renéville ne fournit pas de détails (1) ?

(1) Un autre motif d'exemption de conseil de revision, marqué par Péladan, était le nombre de livres qu'il avait lus et écrits, « général des livres que j'ai lus, connétable de ceux que j'ai faits ». Les chiffres qu'il fournit de seize livres écrits et surtout de quatorze mille volumes lus prêtent à sourire. Il est plus poétique, comme a fait Mallarmé, de ne pas préciser avec autant d'exactitude le nombre de ses lectures et de dire : « La chair est triste, hélas! et j'ai lu *tous* les livres. »

(1) C'est l'expression de Béné-Oelohim qu'emploie Péladan dans la lettre

Tout ceci, je crois, nous montre bien à quel point Mallarmé était imprégné des doctrines ésotériques, même au moment où il affirmait ne pas croire à une autre existence. Comme nombre de ses contemporains, il rêva d'être tenu pour un être à part, un initié. Dans *L'Art pour tous* (p. 257, éd. de la Pléiade), il exprime le regret qu'il n'y ait point un alphabet spécial réservé aux esprits supérieurs de façon à empêcher que les lecteurs de Ponson du Terrail puissent profaner de leurs yeux les *Fleurs du Mal,* hélas formées des mêmes caractères typographiques que les plus abjects romans-feuilletons. La musique, elle, a cette chance que les partitions des œuvres musicales sont protégées par leur aspect hiéroglyphique contre l'intrusion des regards vulgaires. Quant à la technique du vers, il s'indigne qu'elle soit enseignée dans les collèges, ce qui conduit tous ceux qui ont passé par l'école à se croire connaisseurs en poésie. Ce qui serait attristant, c'est qu'on publiât des éditions à bon marché des poètes en élargissant ainsi démesurément le nombre de leurs lecteurs. Ne serait-il pas désolant qu'une propagande aussi démagogique aboutît à l'apparition de « poètes ouvriers »? « Que les masses lisent la morale, mais de grâce ne leur donnez pas notre poésie à gâter! O poètes, vous avez toujours été orgueilleux. Soyez plus : devenez dédaigneux! »

On pourrait donc soutenir sans trop de paradoxe qu'il n'y a pas de textes plus foncièrement ésotériques que ceux de Mallarmé. A des sceptiques, il est, après tout, permis de discuter si l'Ancien Testament, par exemple, a bien : 1° un sens ésotérique, et, 2° si ce sens ésotérique est bien celui que propose un Fabre d'Olivet. Mais quand il s'agit de Mallarmé, pas le moindre doute puisqu'il n'a pas caché qu'il voulait se créer une « langue immaculée », une

au Diable qui sert de préface à un livre, *Comment on devient artiste,* 1894 (p. XIII). « Les Béné-Oelohim, dit-il, étaient les fils de ta volonté et je voudrais croire que je viens d'eux. » Elbehnon serait-il un terme fabriqué par Mallarmé pour rendre l'idée de « fils d'El », El étant un dieu phénicien qui correspondait à Saturne et qui était à la fois père des dieux et père des anges? R. de Renéville veut bien m'écrire que, pour lui, Elbehnon serait une sorte d'anagramme composé par Mallarmé, sans observer strictement les règles de la philologie hébraïque et je serai alors tout à fait de son avis.

« langue suprême », et que, d'autre part, nous allons voir
à quelles sources il a puisé pour réaliser cette création.

Encore y a-t-il des ésotérismes relativement clairs. Mais
l'ésotérisme, au temps du symbolisme, se compliquait par
surcroît d'une affection pour l'obscurité en elle-même, tant
de forme que de fonds. Qu'on nous concède donc que
Mallarmé, tout génial qu'il fût, appartenait à une période
qui eut ses côtés mesquins et ridicules. Tandis que Mallarmé
défendait la doctrine de la page blanche, Pierre Quillard,
dans le *Mercure*, publiait, de son côté, son fameux article :
« De l'inutilité de la mise en scène exacte », afin de prouver
que le plus beau des décors est celui qui n'existe pas car
il ne gêne pas le jeu de l'imagination chez un spectateur
toujours élaborant, pendant qu'il écoute les vers des poètes,
des spectacles plus magnifiques encore que ceux dont les
peintres ont tenté de le régaler par leur métier imparfait.
Il convient donc, replaçant Mallarmé dans son époque, de
ne pas vénérer tout de lui aveuglément comme il convient
aussi de ne pas prendre à la lettre toutes ses instructions
visant à empêcher la compréhension de ses ouvrages principaux. Il y a des vers du poète qui sont comme sonorité
parmi les plus beaux de la langue française, car il n'en est
peut-être pas qui possèdent plus de fluidité et de résonance
évocatrice, mais il faut avoir la sincérité de reconnaître
(et ceci ne pourra que consolider notre admiration pour
ses meilleures pièces) qu'il est aussi l'auteur de quelques
vers les plus cacophoniques de notre langue. De même
nous devons nous résigner à admettre que certains de ses
poèmes ne se prêtent pas aux interprétations grandioses
proposées par divers critiques ; nous n'avons pas le droit,
le jour où il aura simplement décrit un vase ou un meuble
de son salon, d'y discerner une interprétation définitive du
Cosmos.

A l'époque du Symbolisme, il existait non seulement un
désir de mystifier ses contemporains mais encore d'être
mystifié soi-même, dont nous arrivons difficilement aujour-
d'hui à nous former une idée. C'était le temps du Sar
Péladan, du mage Papus et de l'énigmatique Jules Bois,
d'Allan Kardec, de Mme Blavatsky et des Rose-Croix.
On était tellement en réaction contre le positivisme et
contre la science qu'on se passionnait pour toute assertion

qui n'était ni démontrée ni démontrable. C'était le moment
de la « faillite de la science » et du culte de l'intuition.
« Je ne crois — disait Gustave Moreau — ni à ce que je
touche ni à ce que je vois ; je ne crois qu'à ce que je ne
vois pas et uniquement à ce que je sens ; mon cerveau, ma
raison me semblent éphémères et d'une réalité douteuse ;
mon sentiment seul me paraît éternel et incontestablement
certain. » Il y aurait un curieux parallèle à établir entre
le peintre Gustave Moreau et le poète Mallarmé qui, chez
eux, se plaisaient à se calfeutrer derrière leurs persiennes
closes en contemplant un mobilier entrevu par eux dans la
demi-obscurité de leurs chambres. Dans les tableaux de
Moreau, un meuble tarabiscoté soudain surgit auprès d'un
héros ou d'une sphinge sur le bord d'un précipice ou au
pied d'une montagne. Comment ne pas y reconnaître la
« fulgurante console » de « Tout orgueil fume-t-il du
soir ? » Souffrant d'une peur morbide des mouches, Mallarmé, à Valvins, avait fait poser contre sa fenêtre un
treillage métallique et à ceux qui s'étonnaient de le voir
ainsi renoncer à la vue sur le paysage, il répliquait qu'il ne
regardait jamais au dehors.

« Evoquer dans une ombre exprès l'objet tu par des
mots allusifs, jamais directs », a écrit Mallarmé. Ce terme
de : direct était le reproche le plus violent que les symbolistes pussent adresser à un écrivain. De Mme de Noailles,
Jean Royère déclare sévèrement : « Elle est désespérément
directe ; il n'y a pas chez elle la moindre trace d'euphé-
misme ou de symbole. » Il suffisait donc qu'un texte fût
obscur pour qu'on fût irrésistiblement attiré par lui. On
ne cherchait même pas à lui attribuer un sens, tant on
aurait cru être vulgaire en le faisant. Un jour, j'eus
l'occasion d'expliquer à Gémier, créateur d'Ubu-Roi, le
sens exact de diverses expressions qu'il avait employées
dans la pièce et en particulier le sens de « A la poche ! »
justifié par le fait que les potaches du lycée de Rennes,
ridiculisant leur professeur Hébert, dit Ebé, que j'ai connu
et qui fut le prototype d'Ubu, l'avaient dessiné traînant
derrière lui une immense poche rapiécée où il fourrait
pêle-mêle ses provisions et ses ennemis. Je vois encore
Gémier levant les bras au ciel devant la caricature et me
disant : « Ah ! C'était ça, la poche ! » Je m'étonnai alors

qu'il n'eût pas essayé d'obtenir de Jarry des clartés sur les
mots qu'on le chargeait de prononcer et Gémier me répondit : « Mais l'idée ne nous est venue à aucun d'entre nous
de nous renseigner sur la signification des mots que nous
prononcions. Ce qui nous plaisait, c'est justement que nous
ne les comprenions pas. » Autre exemple de cet état
d'esprit : quand nous allons assister à une séance de presti-
digitation, nous tenons à ne pas être pris pour des dupes
et nous nous appliquons à découvrir le truc dont l'artiste
s'est servi pour nous décevoir. Or j'ai eu l'occasion d'interviewer sur leurs souvenirs les frères Isola et ils me racon-
taient que les écrivains symbolistes étaient parmi les assidus
de leurs représentations et que, loin de chercher à pénétrer
leurs procédés lorsque les illusionnistes se livraient à de
soi-disant expériences de transmission de pensée, ces poètes
leur affirmaient fort sérieusement : « Vous vous imaginez
que vous employez des trucs, mais, sans vous en rendre
compte, vous êtes des médiums ; vous exercez des forces
inconnues qui habitent en vous. » Et les Isola m'avouaient
que, devant cette insistance, ils avaient renoncé à se donner
pour de simples amuseurs. Dans les phrases les plus incohé-
rentes, les plus cultivés des poètes s'ingéniaient à déceler
un sens extraordinairement profond. Dans la *Phalange,*
Viélé-Griffin, un des meilleurs disciples de Mallarmé,
s'exaltait à collectionner des réponses de conscrits presque
illettrés. « Qui est-ce qui régnait avant 70 ? », telle était
la question posée à un jeune soldat. « Napoléon et Bonaparte », balbutiait le pauvre garçon. « D'une dialyse —
proclame Viélé-Griffin — cet homme résume un siècle
d'histoire constitutive et administrative. » « Méditez —
s'écrie encore Viélé-Griffin — l'« erreur » du simple qui
fait magnifiquement de Bazaine « un champ de carnage ».
« La France — dit un autre conscrit — est bornée par...
la Russie, la Cochinchine, le Congo, l'Amérique. » « Quelle
agilité de vision — murmure Viélé-Griffin — qui rend au
monde la mobilité vitale que crucifient sur les croix des
longitudes et des latitudes les cartes stériles de nos atlas ! »
   La soif de l'imprécision comme celle de l'ésotérisme était
telle que, même au moment où ils publiaient des livres, ces
poètes s'effrayaient à la pensée que leurs livres seraient
lus, non seulement par un nombre trop grand de personnes

mais même qu'ils seraient lus tout court, à moins que ce ne fût par deux ou trois intimes. « Je ne me ferai pas éditer — écrit Pierre Louys à son frère en 1890 — mais imprimer à mes frais pour des distributions entre amis, afin que pas un volume ne soit mis en vente... Je ne veux pas qu'un Lemerre ou qu'un Vanier mette son nom sur la première page d'un ouvrage de moi... Je ne veux pas qu'un inconnu ou un ennemi puisse acheter sous l'Odéon pour trois francs cinquante le volume où je me serai mis tout entier et que je ne veux confier qu'à des mains choisies... Je ne veux pas surtout être nommé dans un article de critique... Je changerai de pseudonyme à chaque ouvrage afin de dérouter encore plus ce public que je hais... Flaubert et Baudelaire seraient bien plus grands s'ils n'avaient pas eu avec *Madame Bovary* et *les Fleurs du Mal* le déshonneur d'un succès de librairie. Le public aime la clarté. Je serai obscur. Il aime le panache; je serai concentré. Ah! si j'étais sûr de moi, quel rêve je ferais!... Faire des œuvres inouïes, irrêvées... *mais les garder pour soi seul!*... Ne montrer jamais à personne un vers de soi... Brûler tout avant de mourir avec la satisfaction de se dire que l'œuvre sera restée vierge, qu'on aura été seul à la connaître comme on a été seul à la créer! »

Pierre Louys, comme on sait, n'est point arrivé à s'astreindre à cette modestie suprême qui est d'ailleurs la forme la plus aiguë de l'orgueil, mais il a essayé tout au moins de dissocier son œuvre de lui-même en maquillant son nom afin de se donner une personnalité d'emprunt. Il est bien peu de symbolistes qui aient écrit sous leur vrai patronyme; cependant ils ne prenaient pas des noms de plume; c'est leur nom véritable ou leur prénom qu'ils transformaient de quelque manière par une subtile alchimie. Sur les registres de l'état civil, Mallarmé s'appelait Etienne; il métamorphosa Etienne en Stéphane tout comme Paul Roux devint Saint-Pol Roux et comme Pierre Louis se transforma en Pierre Louys. L'écrivain d'art Charles Martine signa Charles Martyne son premier volume de vers, tout comme Paul Sérusier remplaça pendant quelque temps l's par un z dans la dernière syllabe de son nom. Plusieurs de ceux que je viens de citer sont assez curieusement revenus à l'orthographe authentique, s'étant sans doute rendu

compte qu'il est puéril pour un homme de signer Jehan
quand on s'appelle Jean comme pour une femme qui était
Jeanne au jour de son baptême de se désigner comme
Jehanne ou encore Jane, à l'anglaise, ce qui, dans ce dernier
cas, est d'autant plus comique que simultanément, de l'autre
côté de la Manche, des hordes de Jane s'évertuent avec
une égale ferveur à devenir des Jeanne et supplient leur
mari quand il s'appelle George d'ajouter à l'e final un
petit s rectificatif.

De même qu'il était presque indispensable de modifier
son nom et son prénom, il existait aussi des recettes pour
transformer son style, afin d'échapper avec certitude à
l'estime des lecteurs bourgeois. Paul Adam, sous le pseudonyme Plowert, a publié en 1888 « chez Vanier, bibliopole »,
un petit glossaire destiné à permettre l'intelligence des
auteurs décadents et symbolistes. Ainsi était « simplifiée
l'initiation » de ceux qui désiraient comprendre le « prestige hermétique des vocables ». Plowert, dans sa préface,
indiquait que beaucoup de ces formes « dérivent directement du latin et du grec et que d'autres s'effectuent par
l'apport des désinences *ance, ure,* appliquées à des vocables
connus. *Ance* — poursuivait-il — marque particulièrement
une atténuation du sens primitif qui devient alors moins
déterminé, plus vague et se nuance d'un recul... *Lueur,*
c'est l'effet direct d'une flamme, luisance sera un reflet de
flamme dans un panneau verni..., dans le froncis d'une
sombre et soyeuse étoffe... La désinence *ure* indique une
sensation très nette, brève... *Luisure* sera un effet de lueur
sur la vitre d'un lampadaire, sur la plaque d'un métal
poli... Enfin, la plupart de ces néologismes consistent simplement à doter de forces actives ou passives les épithètes
dépourvues de l'une ou de l'autre; ils créent ainsi le verbe
qui nantira d'un pouvoir actif l'état marqué par un
substantif ou par un adjectif. » Ainsi au commencement
du xixe siècle avait aussi paru un petit glossaire destiné
à faire comprendre aux néophytes le vocabulaire employé
par les Romantiques.

Dans le répertoire de Plowert, figurent des termes comme
« abscons, difficile à percevoir. Latin : abconsus... synonyme de absconditus, caché. » (Mallarmé parlait de « la
nuit absconse ».) « Abstrus, dissimulé. » (« L'abstruse fierté

3

que donne une approche de forêt », dit aussi Mallarmé.)
« Les agis » que Verlaine utilise comme abréviation
« d'agissements ». Authentiquer, mot cher à Mallarmé et
qui signifie « revêtir d'un caractère solennel ». « Le souffle
vernal » est, pour Mallarmé, le souffle du Printemps.
Moréas, tout comme Mallarmé, s'exprimait de temps en
temps en cet étrange jargon : « En résumé — dit à son
lecteur le père de l'Ecole Romane — tu trouveras dans le
Pèlerin passionné en même temps que d'aucunes miennes
nouvellettes instructives, les coutumes de versification
abolies par la réforme tempestive à son heure mais insolite
de Malherbe. » Tous les mots groupés dans le glossaire de
Plowert ne sont certes pas difficiles à interpréter mais, par
leur fréquence, ils troublent l'esprit du public; leur aspect
inhabituel teinte d'obscurité les pages où ils foisonnent,
d'autant que presque tous ces termes expriment une idée
de vague et d'imprécision, comme aussi « latent » et « incantatoire » qui reviennent si souvent dans Mallarmé.
Encore ces vocables, tout confus qu'ils soient, ont-ils
l'excuse de ne nous rappeler aucune association d'idées
grotesques mais pourquoi Mallarmé se plaît-il à se servir
à tout propos d'adverbes comme nonobstant et subséquem-
ment qui sont un apanage de la douane et de la maré-
chaussée?

Le fond de la langue, cependant, chez Mallarmé est
formé surtout de mots usuels. « MM. Verlaine et Mallarmé
— dit Plowert dans sa préface — n'employèrent jamais un
mot exclu des dictionnaires officiels et leurs noms se trou-
veront rarement au bas des exemples. » L'affirmation de
Plowert est peut-être un peu exagérée, il est d'autre part
certain que, par comparaison avec bien des symbolistes de
second ordre qui se firent surtout remarquer par l'étrangeté
de leur vocabulaire, le poète n'emploie que relativement
peu de vocables recherchés.

Mais si les mots de Mallarmé sont pour la plupart
empruntés au petit Larousse, ils n'en sont pour les lecteurs
que plus déconcertants parce que le poète (ce dont beaucoup de Mallarméens ne semblent pas s'être encore avisés
dans leur interprétation) leur confère un sens différent de
celui que nous leur accordons d'ordinaire et ceci nous
amène au problème essentiel que pose ce livre : l'influence

de Littré sur Mallarmé, influence que Littré, je suppose, occupé qu'il était par d'autres travaux, n'a jamais soupçonnée. Il me plaît d'imaginer entre les deux hommes, tous deux épris de philologie et tous deux francs-maçons, un dialogue des Morts qui ne manquerait pas de saveur.

Chapitre III

MALLARMÉ ET LITTRÉ

Nous avons vu tout à l'heure que Mallarmé avait pour idéal de se créer une « langue suprême » aussi voisine que possible du sanscrit. Mais où trouver le dictionnaire qui lui fournirait l'étymologie lointaine de chacun des mots dont il aurait besoin? Il est arrivé précisément, peu de temps avant que Mallarmé ne résolût de fonder la langue hermétique depuis longtemps désirée par lui, que Littré avait, exactement entre 1863 et 1868, fabriqué l'instrument de travail sans lequel le poète n'aurait pu parvenir à ses fins. Le piquant est que Mallarmé, pour que sa « langue suprême » restât tout à fait secrète, n'a jamais révélé, même à ses meilleurs amis, quelle était la source où il s'abreuvait. Le nom de Littré, cependant, il l'a, à plusieurs reprises, cité avec un grand respect. Au cours d'un article paru dans la revue *La Dernière mode* lorsqu'il la dirigeait, voici ce qu'il dit à ses lectrices des volumes récemment parus de Brachet (Edition de la Pléiade, p. 828) : « Nous sommes pénétrés de la méthode de cet excellent traité, la *Grammaire historique*, qu'a du même auteur donné la maison Hetzel avec un *Dictionnaire Etymologique de la Langue française*, livres voisins du grand *Dictionnaire de la Langue française* de Littré dans toute bibliothèque sérieuse. »

Dans les exégèses que, dans la seconde partie de cet ouvrage, je vais donner des divers poèmes hermétiques de Mallarmé, on trouvera, je pense, des preuves évidentes qu'il compulsait assidûment les tomes du Littré, tirant profit et des rubriques étymologiques et des divers sens des mots au travers des siècles comme aussi des citations d'auteurs. Même s'il advenait à Littré de faire fausse route dans ses suppositions, Mallarmé le suivait aveuglément.

Je ne crois pas cependant qu'il possédât un Littré; nous ne connaissons pas, il est vrai, la liste des livres lui appartenant. Certains ont été identifiés, non coupés d'ailleurs en général, car un principe de Mallarmé dont nous aurons lieu d'entretenir nos lecteurs quand nous en viendrons à traiter de sa sexualité, était qu'il évitât d'en couper les pages de peur de déflorer la virginité de l'ouvrage, et puis les inondations de la Seine ont détruit bon nombre des livres qui avaient sommeillé dans la bibliothèque de Valvins. Henry Charpentier m'a mis entre les mains un *Dictionnaire de la langue étymologique* de Brachet qui avait été la propriété du poète. C'était un livre relié dont l'écrivain n'avait pas eu probablement à couper les feuillets mais ce petit dictionnaire était si sommaire qu'il ne pouvait être de grand secours au poète, pour le labeur philologicopoétique qu'il avait entrepris. Je suppose que, dans les bibliothèques des lycées où il enseignait, il allait, de temps à autre, s'informer de la signification ancienne de tel ou tel mot et ceci éclairerait peut-être l'habitude qu'il avait de transporter toujours avec lui et d'examiner fréquemment même pendant ses heures de classe (plusieurs de ses anciens élèves en ont été frappés) de petits carrés de papier qu'il ne voulait laisser regarder par personne et dont il a souhaité la destruction après sa mort. Henry Charpentier m'a dit avoir conservé chez lui quelques-uns de ces carrés de papier qui, peut-être, étaient des fiches où il notait les mots à chercher; Charpentier avait promis de m'en montrer mais il a disparu avant de m'avoir donné satisfaction. Un des admirateurs du poète, Viélé-Griffin, a raconté qu'un jour il avait furtivement jeté un coup d'œil sur un de ces carrés qui portait seulement le mot « quel ». « Ce mot est tellement beau — avait dit Mallarmé — que je ne sais pas si je dois le leur donner. »

M'étant aperçu à plusieurs reprises, comme je l'indiquerai dans la deuxième partie de cette étude, que Mallarmé se documentait aussi dans le Grand Larousse, je suis enclin à supposer que les dictionnaires, de façon générale, étaient sa lecture préférée; il n'avait pas à les couper et, de plus, ils le dispensaient de se référer à des ouvrages moins condensés. Quels livres lisait donc Mallarmé? s'est demandé Henry Charpentier dans le numéro spécial des *Lettres* paru sur Mallarmé en 1948 et voici sa réponse : « Peu ou pas de classiques... Les deux grands poèmes de Mallarmé, hommage au Parnasse, ont des thèmes antiques, pris à la Bible et aux bucoliques alexandrins mais non point par inspiration directe... Il lisait surtout ses contemporains. Il répondait par des billets aimables et évasifs à l'envoi de livres qu'il parcourait souvent sans en couper les pages... L'analyse philosophique et la psychologie ne le tentèrent guère. Villiers lui laissa quelques bouquins parmi lesquels un Kant et un Hegel. Les deux ouvrages paraissent n'avoir été ouverts ni par le donateur ni par le donataire... Ne cherchons point à faire d'un artiste un mathématicien ou un métaphysicien... On sait qu'Hugo composa ses prodigieuses visions de la *Légende des Siècles* en décrivant les illustrations d'anciennes revues qui n'étaient point toutes de Piranèse et que Rimbaud, qui n'avait pas vu la mer, découvrit tous les paysages hantés par son bateau ivre en feuilletant un vieux tome du *Magasin pittoresque.* »

Il est amusant de penser qu'un critique de la valeur de Lanson n'ait pas imaginé que Mallarmé ait pu pendant sa période hermétique faire appel à des dictionnaires; c'est que l'idée était alors fortement répandue, aussi bien parmi les admirateurs de Mallarmé que parmi ses adversaires, que les sonnets de Mallarmé étaient exempts de toute signification concrète. « Mallarmé — écrit Lanson dans son *Art de la Prose* — a essayé de traiter les mots comme sons musicaux, suggestifs et non signifiants : il a voulu faire abstraction des valeurs et des rapports intelligibles et grouper les mots en phrases musicales, en harmonies évocatrices de sensations et d'affections sans que le vulgaire mot à mot d'une traduction positive soit possible. Il a retiré aux mots les sens que les dictionnaires donnent : il a gardé les possibilités vagues et variables de suggestion qu'ils renferment. » Mais justement. ce qui me distingue de mes prédécesseurs, c'est que ce n'est pas un poème particulier que je cherche à expliquer en en donnant une version plus ou moins intuitive; loin d'estimer comme

Lanson que Mallarmé « a retiré aux mots les sens que les dictionnaires donnent », je crois pouvoir démontrer que c'est le Dictionnaire de Littré qui a fourni à Mallarmé les sens inattendus dans lesquels il a pris ces mots. Ce que je propose, c'est une clé générale, un passe-partout pouvant nous ouvrir toutes les parties obscures de son œuvre. Et cela non point en me basant sur des suppositions mais sur des faits puisés pour la plupart dans les parties plus claires et rarement examinées de l'œuvre de Mallarmé où il expose sa doctrine en matière de langue. Du moment que cette clé m'a permis de donner un sens cohérent et sans inter-valles de ténèbres à des poèmes très différents les uns des autres, j'ai, je crois, le droit de soutenir que je suis sur le bon chemin.

On m'a dédaigneusement objecté, je le sais, qu'une pareille méthode de traduction juxtalinéaire était indigne d'un poète tel que Mallarmé et qu'il fallait être un cuistre pour la pratiquer. L'argument perd de sa portée depuis que j'ai produit dans la *Revue de Littérature comparée* un document qu'on lira dans mon exégèse du *Tombeau d'Edgar Poe :* une traduction littérale en anglais rédigée par Mallarmé lui-même; contrairement donc à ce que pensait Lanson, « le vulgaire mot à mot d'une traduction positive était possible », puisque Mallarmé n'a pas inventé de meilleur procédé pour se traduire lui-même.

Pour arriver à la compréhension du poète, l'essentiel est d'abord de bien se persuader que le vers :

Donner un sens plus pur aux mots de la tribu

était une formule de signification pour lui très précise. A son point de vue, cette phrase, en langage clair, se tra-duisait ainsi : employer les mots dans un sens strictement étymologique.

Le retour à l'étymologie était d'ailleurs une tendance assez naturelle aux écrivains contemporains de Mallarmé, en particulier à Huysmans pour qui il éprouvait beaucoup de sympathie. Huysmans cependant, et bon nombre de symbolistes avec lui, préféraient transposer intégralement en français des termes latins ou grecs, dire « contemner » pour mépriser, « orer » pour prier et « inane » pour vain, quitte à mélanger parmi ces vocables antiques des termes empruntés à l'argot des fortifs ou au vocabulaire des métiers.

Cependant, alors qu'il ne s'agissait chez eux que de procédés intermittents et de dosages très irréguliers, Mallarmé, lui, se proposait, tout en n'employant guère de termes inhabituels, la création d'une langue entièrement nouvelle qu'il obtiendrait et par un bouleversement de la syntaxe et par l'attribution de sens inaccoutumés à des mots très usuels. Le poète a été fort net sur ce point dans *Crise de vers :* « Les langues imparfaites en cela que plusieurs, manque la suprême : penser étant écrire sans accessoires, ni chuchotement, mais tacite encore l'immortelle parole, la diversité, sur terre, des idiomes empêche personne de proférer les mots qui, sinon se trouveraient, par une frappe unique, elle-même matériellement la vérité. » Il lui restait à constituer cette langue idéale, ce super-idiome, antérieur à toutes les langues nationales puisque les éléments dont il serait composé auraient été pris dans leur sens le plus ancien.

Les problèmes étymologiques ont d'ailleurs toujours préoccupé ce linguiste professionnel qui, dans sa *Petite Philologie à l'usage des classes et des gens du monde,* s'est attardé à découvrir les origines de nombreux vocables anglais tels que *nightingale, rather, turnip,* etc. « Quelle plus charmante trouvaille par exemple — écrit-il — et faite même pour compenser mainte déception, que ce lien reconnu entre des mots comme HOUSE, la *maison,* et HUSBAND, le *mari* qui en est le chef ; entre LOAF, un *pain* et LORD, un *seigneur,* sa fonction étant de le distribuer ; entre SPUR, *éperon* et TO SPURN, *mépriser ;* TO GLOW, *briller* et BLOOD, le *sang ;* WELL ! *bien* et WEALTH, la *richesse* ou encore THRASH, l'*aire* à battre le grain et THRESHOLD, le *seuil,* tassé ou uni comme un dallage ?... Le revirement dans la signification peut devenir absolu au point d'intéresser à l'égal d'une analogie véritable ; c'est ainsi que HEAVY semble se débarrasser tout à coup du sens de *lourdeur* qu'il marque, pour fournir HEAVEN, le ciel, haut et subtil, considéré en tant que séjour spirituel. » « Gardez-vous bien surtout — ajoute-t-il — de vous figurer que l'apparition à certaines lignes ici de mots grecs et de mots latins implique en quoi que ce soit le fait que les mots anglais accolés en *descendent*. Un rapport historique dans l'Anglais (du moins) et c'est à une origine commune immémoriale qu'il faut demander la raison de ressemblances autorisant un rapprochement. »

Presque tout son livre cependant repose sur des rapprochements entre mots saxons et termes latins et grecs. Il va même jusqu'à risquer la suggestion qu'un jour viendra (« mais le monde sera alors bien près de sa fin »; telle est la phrase que lui souffle son pessimisme) où l'histoire de l'alphabet universel finira par être élucidée.

Malgré ce scepticisme affecté, Mallarmé classe les mots anglais suivant leur lettre initiale en prêtant à chacune de ces initiales une valeur magique particulière. « *B* — dit-il — fournit de nombreuses familles; et s'appuie au commencement de chacun des mots, sur toutes les voyelles, peu d'entre les diphtongues et les seules consonnes *l* et *r* : cela pour causer les sens, divers et cependant liés secrètement tous, de production ou d'enfantement, de fécondité, d'amplitude, bouffissure ou de courbure, de vantardise, puis de masse ou d'ébullition et quelquefois de bonté et de bénédiction (malgré certains vocables dont plus d'un va isolément défiler ici); significations plus ou moins impliquées par la labiale élémentaire. » « *G* (tout en n'étant pas la lettre qui commande le plus grand nombre de mots) a son importance, signifiant d'abord une aspiration simple, vers un point où va l'esprit; que cette gutturale, toujours dure en tant que première lettre, soit suivie d'une voyelle ou d'une consonne. Ajoutez que le désir, comme satisfait par *l*, exprime avec ladite liquide, joie, lumière, etc. et que de l'idée de glissement on passe aussi à celle d'un accroissement par la poussée végétale ou par tout autre mode; avec *r* enfin, il y aurait comme saisie de l'objet désiré; avec *l* un besoin de l'écraser et le moudre. »

J'ai mentionné tous ces développements de Mallarmé sur la valeur propre des lettres pour montrer jusqu'où l'emportait sa ferveur de philologue mais ces réflexions du poète ont eu surtout leur répercussion sur l'euphonie de son vers; ce qui a eu un considérable retentissement sur le choix de ses mots et, par conséquent, sur la signification de ses phrases, c'est la façon dont, sur les traces de Littré, il est remonté aux origines des vocables, particulièrement origines latines et grecques, ce qui lui était plus aisé en français qu'en anglais où interviennent tant de racines anglo-saxonnes.

J'avais eu l'intention d'abord de consacrer cette fin de chapitre à la démonstration détaillée de la dette de Mallarmé à l'égard de Littré et le lecteur s'y attend sans doute puisque c'est sur cette découverte qu'est fondée toute mon interprétation nouvelle. Mais, après avoir longuement hésité, je crois qu'il vaut mieux le prier de me faire confiance pendant quelques pages encore et d'admettre provisoirement l'authenticité de cette collaboration étroite de Mallarmé avec Littré dont je donnerai tant d'exemples dans la deuxième partie de cet ouvrage; je ne pourrais en effet exposer ici que fort incomplètement ce qui se dégagera de presque chaque ligne de mes exégèses. Ce recours obstiné à Littré va placer le poète dans une situation délicate vis-à-vis de lui-même et de la postérité puisque, si, dans sa *Petite Philologie,* il salue bien Littré comme « un Maître », il s'est toujours refusé à avouer à qui que ce fût la persévérance avec laquelle il consultait le lexicologue. En tant que poète, il lui en coûtait de divulguer qu'un aussi prosaïque collaborateur l'avait secondé dans l'élaboration de ses chefs-d'œuvre magiques; dévoiler Littré, n'aurait-ce pas été pour lui renoncer à son auréole de mage hermétique? Si c'est un crime que de chercher à percer le secret du mystère dont s'est enveloppé Mallarmé, j'avoue que ce crime, je l'ai commis, favorisé d'ailleurs dans mon entreprise par ceux qui, tout en me reprochant mon indiscrétion, l'ont rendu possible par leur publication zélée des variantes du poète comme aussi de sa correspondance. Je répéterai plusieurs fois qu'à mon avis ils ont eu raison de contrevenir aux injonctions du poète. N'a-t-il pas lui-même hautement loué Œdipe d'avoir arraché au Sphinx le secret de son énigme?

Chapitre IV

LE MYTHE SOLAIRE CHEZ MALLARMÉ

Cependant que le philologue qu'était Mallarmé demandait à l'étymologie la signification intime des vocables, le mystique qu'il fut aussi souhaitait découvrir par surcroît dans cette même étymologie le pourquoi des doctrines religieuses car toute la science, très imbue de mysticisme à cette époque et se réclamant du sanscrit en même temps que des conquêtes récentes de la linguistique, voyait et dans les diverses religions et dans les divers folklores des transcriptions du culte solaire. Il n'était pas jusqu'aux Contes de Perrault qui n'apparussent comme des transpositions du lever et du coucher du soleil. Le mythe solaire constituait un des thèmes principaux et de la poésie et de la prose de Mallarmé même avant qu'il ne se fût adonné à la forme hermétique.

L'erreur essentielle du Professeur Mondor au cours de ses patientes recherches sur Mallarmé, c'est de ne pas avoir compris que les livres mallarméens traitant ou de la philologie ou de la mythologie étaient justement ceux où l'écrivain avait exprimé les doctrines qui allaient servir de base à sa poétique. Le professeur Mondor a eu le tort de prendre trop au sérieux les airs détachés que se donnait Mallarmé lorsqu'il parlait de ses ouvrages de caractère scolaire en feignant de les considérer simplement comme des moyens de se procurer un peu d'argent.

L'avant-propos que, dans l'Edition de la Pléiade, le professeur Mondor consacre aux *Mots anglais* prétend qu'il est « instructif de voir Mallarmé descendre de ses grands problèmes vers d'humbles sujets ». En réalité, si Mallarmé a traité de grands problèmes, c'est bien au contraire dans sa *Petite Philologie* où il a tenté de découvrir l'origine des langages ou encore dans les *Dieux antiques* où il est soutenu que les récits mythologiques de tous les pays se ramènent à une interprétation des phénomènes solaires.

C'était l'époque où la science folklorique naissante se satisfaisait du mythe du soleil comme point de départ de toutes les légendes. C'est même, on s'en souvient, comme parodie de ces tendances par trop absolues que fut lancée en 1840 une brochure sarcastique qui représentait Napoléon, anagramme approximatif d'Apollon, comme n'étant, après tout, qu'un symbole du Soleil dont les douze maréchaux étaient incontestablement les signes du Zodiaque.

Dans les *Dieux antiques*, adaptation de l'ouvrage anglais de Cox que Mallarmé publia en 1880, le Soleil est à la fois Phœbus, Eros et Ixion; Endymion aussi « qui s'enfonce, pour y dormir, dans la caverne de Latmos comme le soleil plonge dans la mer occidentale ». « *Toujours l'acte solaire* », note Mallarmé en lettres italiques immédiatement après sa phrase sur Endymion. Les palais de Tantale, pour Mallarmé, c'est la « maison d'or d'Hélios »; la pluie d'or dans la prison de Danaé, c'est « la lumière du matin qui coule sur les ténèbres de la nuit ». La chute de Bellérophon est « la descente rapide du soleil vers le soir »; la Toison d'Or des Argonautes, « c'est le vêtement d'or du soleil ». Esculape, c'est encore le Soleil comme Achille est le soleil dans la légende de la guerre de Troie.

« Les contes de fées — écrit Mallarmé dans les *Dieux antiques* (p. 1257 de l'Edition de la Pléiade) — ... *ne sont jamais* QU'UNE DES NOMBREUSES NARRATIONS DU GRAND DRAME SOLAIRE, ACCOMPLI SOUS NOS YEUX CHAQUE JOUR ET CHAQUE ANNÉE. » Les italiques et les capitales de ce passage sont de Mallarmé qui, de plus, ajoute en note que cette phrase n'est pas de Cox mais bien de lui.

Au coucher comme au lever du soleil, il est fait allusion dans presque chaque poème de jeunesse de Mallarmé mais là, le sens ne peut échapper au lecteur, tandis que, dans les derniers poèmes, il est parfois arrivé que l'hermétisme du vocabulaire et de la syntaxe ont empêché la plupart des commentateurs de s'apercevoir que c'était bien du

soleil qu'il s'agissait. Comment supposeraient-ils que dans
Une dentelle s'abolit, le « jeu suprême » désigne le lever
quotidien du soleil, que, dans *Ses purs ongles très haut,* le
« phœnix » représente l'astre du jour et que, dans *Victorieusement fui,* le « suicide beau » signifie le coucher du
soleil? Mais sur tout cela, nous reviendrons dans la
deuxième partie de ce livre.

Pour l'instant, je voudrais simplement en une parenthèse
faire remarquer que traiter de Mallarmé sans le replacer
dans son milieu, c'est commettre la plus étonnante de
toutes les hérésies. J'ai été vraiment stupéfié quand un
éminent universitaire qui est en même temps très épris de
Mallarmé a été jusqu'à me soutenir que si Mallarmé était
né en un autre siècle il aurait eu exactement les mêmes
réactions devant l'univers et qu'il les aurait exprimées dans
les mêmes termes.

Notons enfin, avant de quitter ce thème du mythe solaire
que, si Mallarmé se passionne pour tout ce qui concerne
Apollon, il ne consacre à Diane que quelques lignes dans
ses *Dieux antiques,* sans même mentionner qu'elle est la
déesse de la lune. C'est que la lune lui semblait un organe
complètement inutile dans l'économie céleste. Coppée, dans
un journal manuscrit conservé dans la collection Mondor,
rapporte comment Mallarmé cherchait les moyens de
supprimer cet astre superflu : « Mallarmé — écrit-il —
devient plus fou que jamais. Je reparlerai de lui et longuement. Cet exquis insensé en vaut la peine. Mais je note
ici la meilleure folie d'hier soir. La lune le gêne. Il explique
le symbolisme des étoiles, dont le désordre dans le firma-
ment lui paraît l'image du hasard. Mais la lune qu'il
appelle avec mépris « ce fromage » lui semble inutile. Il
rêve sérieusement d'un âge plus savant de l'humanité où
on la dissoudra très facilement par des moyens chimiques.
Un seul point l'inquiète : la cessation des marées, et ce
bouleversement rythmique de la mer est nécessaire à sa
théorie du symbolisme du décor humain. Hélas! hélas!
pauvre raison humaine... »

Dans le poème intitulé « Apparition », Mallarmé a, il est
vrai, nommé la lune :

La lune s'attristait...

mais c'est là un événement tout à fait exceptionnel; la lune ne figurait pas dans son matériel poétique. Peut-être l'a-t-il parfois regretté. Un jour, à propos de la lune, il a fait en effet à Paul Bourget une confidence qu'Henri Malo a consignée dans un article sur Paul Bourget à Chantilly (*Revue des Deux Mondes,* 1ᵉʳ juillet 1936) : « Chaque jour, sur le banc de la terrasse, Paul Bourget égrenait les souvenirs surgis au fond de sa mémoire au hasard de l'actualité. Une conversation sur le symbolisme lui rappela Mallarmé. Une nuit, tous deux se promenaient aux Champs-Elysées. La lune brillait magnifique. Mallarmé s'arrêta, la contempla et murmura : « Elle *était* pourtant belle! » Il employait le passé parce que le symbolisme avait rayé la lune de son répertoire. »

Chapitre V

COMMENT MALLARMÉ OBSCURCISSAIT
SES PENSÉES

Nous avons jusqu'ici montré comment Mallarmé avait adopté des idées qui, de son temps, étaient à la mode. Mais s'il les a poussées à l'extrême, c'est qu'elles renforçaient certaines tendances de son tempérament et, en particulier, son goût naturel pour l'obscurité, goût plus intense encore que n'était celui de ses contemporains.

Son désappointement devant les paysages bretons est tout à fait symptomatique. Mallarmé, pendant l'été de 1873, s'était demandé où il pourrait se retirer pour composer un poème à la gloire de Théophile Gautier qui venait de mourir. La Bretagne s'imposa presque tout de suite à son choix parce qu'elle avait la réputation d'être mystérieuse et parce qu'on pouvait y vivre alors à très bon marché.

C'est à Douarnenez que s'était installé Mallarmé, attiré là par José-Maria de Heredia, qui était un fanatique de la Bretagne, depuis 1862, date à laquelle, avec ses confrères en poésie, Lafenestre et Sully-Prudhomme, il avait, sac au dos, parcouru à pied presque toute la péninsule. Heredia, avec extase, l'avait entretenu de la baie de Douarnenez qui (il le lui répétait après de Vogué) « était aussi belle que la baie de Salamine ». Mais Mallarmé n'était pas fait pour mener une vie tumultueusement exubérante au milieu des paysagistes attablés à l'hôtel du Commerce, alors que c'était au contraire le bonheur de Heredia, dont Jules Breton nous a tracé un si joli portrait sur la route de Ploaré, improvisant des vers parmi une troupe de peintres et « coiffé d'un chapeau de manille auquel s'enroulait une branche de chèvrefeuille ».

Pour Mallarmé, homme d'intérieur qui prenait tant de délices, tous volets fermés, à décrire dans ses poèmes les pièces de son mobilier aux formes étranges, pour ce Nordique ennemi de l'azur trop bleu et qui avait gardé un souvenir ému des brouillards de Londres, le Douarnenez des mois d'été apparut comme un décor insolemment lumineux et à Banville le maître symboliste ne put s'empêcher de confier sa désillusion : pourquoi la mer n'avait-elle pas à Douarnenez cette agressivité ténébreuse que possède l'océan dans les drames wagnériens?

« Je ne suis pas étonné — lui répondit le conciliant Banville — que vous n'ayez pas trouvé la mer à Douarnenez; je crois sérieusement et sans vouloir faire un peu d'esprit que la nature comme nous la voulons et comme nous la voyons d'ici n'est nulle part. »

Jugeant la Cornouaille trop douce, Mallarmé s'en alla finir ses vacances au Conquet pour y vivre — dit-il — « dans un cap ». Mais le Léon lui-même ne se trouva ni assez dur ni assez sombre à son gré et, très vite, Heredia se résigna à la pensée que, dans toute la Bretagne, il ne pourrait découvrir à son ami une villégiature suffisamment désolée. « Ne croyez pas un mot — écrit Heredia — de ce que Mallarmé a pu vous dire de Douarnenez. C'est un esprit trop exquis pour savoir jouir de la vie et de la nature. » Le blasphème de Mallarmé dut aussi bien égayer François Coppée, autre fervent de Douarnenez et qui avait coutume d'être en affectueux désaccord avec l'auteur des *Divagations* qu'il nous a si finement décrit « abaissant des cils de velours sur ses yeux de chèvre amoureuse ».

Sur les façons dont Mallarmé s'ingéniait à obscurcir ses œuvres, il est bon de consigner objectivement quelques faits. Sur sa syntaxe, on découvrira beaucoup d'utiles renseignements dans la thèse de Jacques Schérer sur *l'Expression littéraire dans l'œuvre de Mallarmé*. Sur cette syntaxe elliptique, il resterait encore d'ailleurs beaucoup à dire car Schérer, lorsqu'il a soutenu sa thèse, était persuadé que les poèmes hermétiques de notre auteur ne pouvaient pas s'expliquer en langage clair et que le poète se contentait de faire jouer des sonorités les unes contre les autres; il n'a donc jamais essayé, comme c'est l'habitude dans des travaux analogues, de démonter les phrases en cherchant leurs rapports avec les idées exprimées. « Nous nous sommes constamment refusé — dit-il — à donner ou à accepter une interprétation complète quelconque du sens de l'œuvre de Mallarmé. Nous n'avons même pas voulu prendre parti dans cet ouvrage sur la question de savoir s'il convenait ou non de chercher à donner à cette œuvre un sens intelligible. Nous n'avons voulu voir que la forme. »

Il n'y a pas de doute qu'un des principaux obstacles à la compréhension de Mallarmé, c'est la syntaxe.

Il est tel poème qui, comme dit Henry Charpentier, de la pièce « A la nue accablante tu » devient aisément accessible pour peu que l'on rétablisse l'ordre des mots. Cédant à d'impérieux caprices qu'inspire la recherche de ce rythme oculaire dont parlait Gautier, il place le complément avant le verbe et le sujet après, tous deux extrêmement loin parfois l'un de l'autre, et il n'est pas toujours aisé de reconnaître le complément du sujet. Dans la pièce qui commence par « Toute l'âme résumée », il est difficile de dire si le sujet du verbe « atteste » est « quelque cigare » qui vient après ou « toute l'âme » qui vient avant. A un verbe habituellement neutre, Mallarmé parfois confère un complément direct, ce qui complique encore l'effort d'un déchiffreur. « Pencher un salut » dans Mallarmé, c'est faire un salut en se penchant.

Mallarmé — dira-t-on — n'a, après tout, voulu que restituer à l'écrivain cette liberté qu'avaient les Latins de disposer les mots à leur gré dans leurs phrases, suivant les règles de l'euphonie comme aussi suivant l'importance qu'ils entendaient donner passagèrement à tel ou tel terme dans la hiérarchie de la proposition. Oui, mais l'existence des cas en latin permet au lecteur de reconnaître très vite les sujets des compléments directs ou indirects suivant que leurs terminaisons les désignent comme étant au nominatif, à l'accusatif et au datif ou à l'ablatif, mais, les cas n'ayant pas subsisté en français, il est bien souvent compliqué de rétablir l'ordre logique dans un texte de Mallarmé.

Très souvent, à la manière anglaise, il insère l'adjectif

avant le nom au lieu de le placer après, comme, en français,
on le fait d'ordinaire : « la cinéraire amphore » ou « le
peu profond ruisseau » à moins encore que là où nous
mettons l'adjectif avant, il le place après : « le suicide
beau ». Il aime aussi les ablatifs absolus latins dont le
français a perdu l'habitude : « Victorieusement fui le suicide beau » ou « Tous mes livres fermés sur le nom de
Paphos ».

Plus obscure encore que l'ellipse est l'image métapho-
rique évoquant l'objet sans jamais le nommer. « Nommer
un objet — a dit Mallarmé — c'est supprimer les trois
quarts de la jouissance. » La méthode est, au fond, celle
de Delille qui, pour d'autres motifs, ne voulait pas, lui
non plus, appeler les choses par leur nom. N'est-ce pas une
métaphore tout à fait à la Delille que ce vers sur « les
calices balançant la future fiole » où Mallarmé, en regardant les fleurs, songe aux parfums qui, lorsqu'ils auront été
extraits des pistils, seront enfermés dans de mignonnes
bouteilles. Si Delille avait vécu à notre époque et qu'il eût
gardé ses anciennes habitudes, il aurait désigné, ainsi que
Mallarmé, les femmes-cyclistes comme « les chevaucheuses
de l'acier » car c'est bien ainsi que Mallarmé les décrivait,
en réponse à un journaliste qui lui demandait s'il était
préférable que les femmes-cyclistes se vêtissent d'une jupe
ou d'un pantalon masculin. « Je ne suis devant votre
question — écrivait-il — comme devant les chevaucheuses
de l'acier qu'un passant qui se gare, mais si leur mobile
est celui de montrer des jambes, je préfère que ce soit d'une
jupe relevée, vestige féminin, pas du garçonnier pantalon,
que l'éblouissement fonde, me renverse et me darde. »
Ailleurs, il nous montre la bicyclette « créant la fiction d'un
rail continu ».

Sous sa plume, les marrons glacés deviennent des « fruits
constants ». La jeune fille qui choisit un livre d'un étalage
avant de partir en villégiature le feuillette « d'une main
pour le lointain gantée ». Pour lui, la neige c'est « le blanc
ébat ». L'espoir d'une survivance de l'âme est le « magique
espoir du corridor ». « Tout l'acte disponible » signifie
simplement « Tout ce qui reste à faire ».

Sans doute est-ce du Delille mais n'est-ce pas plus exactement encore du langage de précieux et de précieuses?

Quand, dans le *Savetier*, il achève sa pièce par cette affirmation :

> *Il recréerait des souliers*
> *O pieds, si vous le vouliez.*

intimant par là que l'artisan, pour les clients qui le désirent, peut aussi bien fabriquer du neuf que réparer du vieux, il nous fait penser à Cathos et à Madelon lorsque, pour ne pas prononcer le nom vulgaire de violons, elles sollicitent qu'on leur envoie les âmes des pieds ou lorsqu'elles demandent pour ne pas s'abaisser à parler de fauteuils qu'on voiture vers elles les commodités de la conversation. Jacques Boulenger, établissant la différence entre Valéry et Mallarmé, a très justement remarqué, quoique avec un peu d'exagération, que, chez Mallarmé, la forme seule est obscure; il exprime des pensées très simples, des lieux communs dans un style volontairement mystérieux, alors que l'obscurité de Valéry tient non pas à sa forme mais à la complexité de sa pensée. C'est à peu près à la même conclusion qu'est arrivé Emile Henriot lorsqu'il se plaint que le lecteur soit insuffisamment récompensé de son effort lorsque, ayant, après des recherches patientes, élucidé enfin l'énigme d'un poème, il s'aperçoit que le secret ainsi conquis était un bien pauvre secret.

Je ne reviendrai pas sur l'élément d'obscurité que constitue chez Mallarmé l'emploi de nombreux mots dans un sens étymologique puisque c'est sur ce fait que, dans l'exégèse, nous comptons particulièrement insister.

J'ajouterai qu'en dehors des moyens d'expression, la pensée de l'écrivain était obscure et qu'il la désirait telle. « Mallarmé — m'a écrit en 1912 Charles Seignobos — lisait quelquefois à mon père de ses œuvres inédites, surtout de la prose et lui demandait : « Ne trouvez-vous pas que c'est trop clair? — Oh! non, n'y changez rien. » J'entendais dire à Mendès : « Mallarmé, quand il écrit quelque chose, il faudrait le lui enlever et le publier avant qu'il l'ait corrigé. » Il donnait l'impression d'un mécanisme très fin auquel il manquerait un petit rouage indispensable. »

Dans les *Souvenirs sur Mallarmé* tirés à cinquante exemplaires (c'était un recueil broché de quatre articles parus en 1912 à Béziers dans le journal *l'Hérault*), nous trouvons de précieux renseignements recueillis par le poète Léopold Dauphin sur les doctrines mallarméennes. En ce qui concernait le sonnet, Mallarmé se distinguait de la plupart des sonnettistes en ce qu'il ne voulait pas que le dernier vers fût l'aboutissement de toute la pièce, la phrase pour laquelle tout le sonnet a été écrit. « Pour lui, le distique terminal du quatorzain ne doit être que comme un écho vague et perdu de l'idée principale, une sorte de sonore cadence, de prolongement lumineux, de luxe inutile, « une dernière pirouette, une queue de comète », ajoutait en souriant Mallarmé.

Il poussa tellement loin cette conception du sonnet comme un tout, comme un cube de cristal dont les parties sont également importantes, qu'il en arriva parfois à supprimer de ses poèmes toute ponctuation. « Le sonnet — dit-il à Dauphin — ne doit pas être ponctué! Du moins, celui qui, comme le mien, ne saurait laisser de place à la ponctuation. Les signes qui en sont absents ne serviraient qu'à diviser inutilement le tout. »

Il est évident que cette absence de ponctuation n'aidait pas à rendre plus facile la compréhension du poème.

Dauphin raconte, entre autres choses, comment, un jour, il récita à l'auteur du *Cygne* deux vers qu'il venait de composer et où, s'adressant aux raisins vendangés, il leur disait :

> *Vous ne griserez plus au soir*
> *L'aile si blonde de l'abeille.*

« Il tire — déclare Dauphin — une bouffée de sa pipe, fait gonfler la voile, donne un coup de barre. Je crois qu'il n'a pas entendu et je vais lui redire mes vers quand je l'entends me les répéter avec cette variante :

> *Vous ne griserez plus aucun soir*
> *L'aile blonde aussi de l'abeille.*

« J'étais ravi! Quels jolis vers! Tout poète en constatera le charme, la grâce séduisante et la subtilité de l'idée en reflet. Où je ne disais qu'une chose, Mallarmé, sans presque rien changer ni ajouter, en dit plusieurs. Et cela, il l'avait fait pour éviter les choquantes sonorités successives des deux « de » au second vers, dans *blonde de l'abeille* et pour aussi, selon son habitude, avoir une forme mystérieuse, un peu comme miroitante où plusieurs idées semblent jouer à cache-cache pour le plaisir d'amuser notre imagination et sa rêverie. »

Cette transmutation presque instantanée de vers clairs en vers obscurs nous permet, mieux que bien des pages de critique, de pénétrer les secrets de la technique de Mallarmé.

A Dauphin, il a lu sa conférence sur Villiers, conférence dont Dauphin reconnaît que, à la lecture, elle est pleine de pierres d'achoppement. « Mais — dit Dauphin — Mallarmé, en parlant son texte, les avait fait toutes disparaître; ce qu'il disait était, au fond de sa pensée, la clarté même; il nous communiquait cette clarté par télépathie, en dépit de ses ellipses et obscurités; là où il devinait que celles-ci ou celles-là pouvaient faire un trou, il y suppléait adroitement par un éclair de l'œil, un accent de la voix, un geste de la main et, vite, le tour était joué, l'obstacle était franchi, sans qu'on eût pris garde. »

C'est surtout pendant la seconde période de sa carrière poétique que Mallarmé a entouré de ténèbres sa pensée. Il est très instructif, à cet égard, de comparer le texte de *Réminiscence* (p. 278, Ed. de la Pléiade) tel qu'il devint en 1888 et tel qu'il était quand l'écrivain l'a composé en 1864 à Tournon. Cela s'était appelé d'abord *l'Orphelin* puis *le Petit Saltimbanque* et le *Môme sagace* (Ed. de la Pléiade, p. 1552). *Réminiscence* est un titre autrement vague.

« Orphelin, déjà — dit la première version — enfant avec tristesse pressentant le Poète, j'errais vêtu de noir, les yeux baissés du ciel et cherchant ma famille sur la terre. »

En 1888, le texte devient : « Orphelin, j'errais en noir et l'œil vacant de famille. »

« Une fois s'arrêtèrent sous les arbres dont le vent cassait le bois mort, près de la rivière, des baraques de foire... »

2ᵉ version : « Au quinconce, se déplièrent des toiles de fête. » Il a fallu au lecteur bien de la perspicacité pour deviner que ces « tentes de fête » « du quinconce » sont des baraques de foire sous les arbres.

1ʳᵉ version : « Devinais-je ma parenté et que je serais des leurs plus tard, mais j'aimais à vivre de la vie de ces comédiens. »

2ᵉ version : « Eprouvai-je le futur et que je serais ainsi, j'aimais le parfum des vagabonds. »

1ʳᵉ version : « Par les planches m'arrivaient, brise ancienne des chœurs, des voix d'enfants maudissant un tyran avec de grêles tirades. »

2ᵉ version : « Aucun cri de chœur par la déchirure ni de tirades loin. »

1ʳᵉ version : « Je rôdais devant ces tréteaux, orgueilleux et plus tremblant de la pensée de parler à un enfant trop jeune pour jouer parmi ses frères. »

2ᵉ version : « Je souhaitais de parler avec un môme trop vacillant pour figurer parmi sa race. »

Dans la première version, le garçonnet est rejoint par « un petit saltimbanque de la baraque voisine dans laquelle on allait donner des tours de force, ce frivole exercice ne se refusant pas à la banalité du grand jour ».

2ᵉ version : Le petit saltimbanque s'est transmué en « quelque aîné fameux jailli contre une proche toile en train des tours de force et banalités alliables au jour ».

1ʳᵉ version : « Il était tout nu dans un maillot lavé et pirouettait avec une turbulence surprenante, ce fut lui qui m'adressa la parole. »

2ᵉ version : « Nu, de pirouetter dans sa prestesse de maillot à mon avis surprenante, lui qui d'ailleurs commença : »

Et tout le rhabillage du texte continue avec le même souci d'obscurcissement. Après nous avoir, dans la première version, montré le jeune saltimbanque « élevant sa jambe disloquée avec une facilité glorieuse », il nous le dépeint « élevant à moi la jambe avec aisance glorieuse ». Après l'avoir décrit mordant « dans la tartine du plus jeune enfant qui ne parlait pas », il nous dit dans la deuxième version : « Puis de mordre au régal chaste du très jeune. »

1ʳᵉ version enfin : « Mais sa parade venait de commencer et il partit avec ces mots. » 2ᵉ version : « La parade s'exaltait; il partit. »

J'ose espérer, moi qui admire, autant que quiconque, la magnifique splendeur des vers du *Cygne,* que les plus intransigeants des mallarméens intégraux se confesseront dans leur for intérieur, que Mallarmé est allé là trop loin dans l'obscurcissement et que la deuxième version n'est pas

supérieure à la première. Que nous voilà aux antipodes de
la formule de La Bruyère, bon artiste pourtant à sa
manière : « Vous voulez, Acis, me dire qu'il fait froid;
que ne dites-vous : « Il fait froid » ? Vous voulez m'apprendre
qu'il pleut ou qu'il neige; dites : « Il pleut, il neige ».
Est-ce un si grand mal d'être entendu quand on parle et
de parler comme tout le monde ? » Il est vrai que La
Bruyère déclarait : « Faut-il opter ? Je ne balance pas;
je veux être peuple. » Une évolution toute différente de
celle de Mallarmé a été l'évolution de Saint-Pol Roux qui,
ayant, pendant longtemps, pourchassé lui aussi l'expression
rare, n'a eu d'autre ambition, au soir de son existence,
lorsqu'il s'était retiré à Camaret, que de composer des
vers d'une extraordinaire simplicité en l'honneur des gens
de son voisinage.

« Il doit y avoir toujours énigme en poésie », a dit
Mallarmé dans sa réponse à l'Enquête de Huret. Il est
vrai que Mallarmé, quand il se laissait ainsi aller à des
aveux aussi absolus s'accusait ensuite d'avoir été devant
les journalistes volontairement paradoxal et un tant soit
peu mystificateur, d'autant qu'une doctrine proférée publiquement
perdait nécessairement sa valeur, faite qu'elle était
pour être murmurée à quelques initiés. Dans *Variations sur
un sujet* (p. 407, Editions de la Pléiade), il se représente
en proie aux interviewers et les satisfaisant d'« un verbiage
devenu tel pour peu qu'on l'expose, de persuasif, songeur
et vrai quand on se le confie bas ». Et il se raille de la
phrase par laquelle il a congédié le journaliste en lui
confiant, tandis qu'il remettait à plus tard la remise d'une
réponse écrite : « Attendez, par pudeur, ...que j'y ajoute
du moins un peu d'obscurité. » A Aubanel, il écrit qu'il ne
lui déplaît pas de passer pour un « logographe » auprès de
ceux qui ne sont pas ses familiers afin de conserver pour
lui-même l'intensité de ses pensées.

Mais même alors qu'il n'avait pas l'intention de se
dérober à autrui, il lui arrivait de relater les faits les
plus simples dans un étrange jargon comme dans cette
lettre que, en 1897, il adressait à Clerget, directeur du
journal *la France Scolaire* qui avait sollicité de lui des
souvenirs sur Verlaine, professeur d'anglais : « Vous
requérez, cher monsieur Clerget, pour des instituteurs —

plusieurs, des poètes — ici mon témoignage que Verlaine,
ce maître, effectivement professa, certes, la langue anglaise.
Je l'appelai — comme de mes heures, aussi, restent aux
vitres dépolies des classes d'un lycée — en souriant, mon
confrère et collègue, attendu qu'il me conta les succès notoi-
res de son enseignement, je crois, à Rethel, et clignait de
l'œil dans nos rencontres, en connaisseur, interrogeant si le
mien prospérait ; lui, évadé depuis longtemps, et j'attribuais
à l'intervalle d'oubli cette sérénité, volontiers, de s'entretenir d'un sujet pour moi, dont tarda l'épreuve, sans
atrait. » Et tout le reste de la missive est dans la même
veine. Dans une autre lettre, privée cette fois, par laquelle
il consulte un ami sur le magasin où il pourrait acheter
de la bonne bière, il s'enquiert du « mode » de se procurer
ce breuvage.

Pour être beau joueur, je vais admettre que l'exemple,
quand on le puise dans la prose, est beaucoup plus convaincant que lorsqu'il s'agit de vers. Henry Charpentier a
concédé que, à son avis, Mallarmé aurait dû se contenter
d'obscurcir ses vers. « Les *Divagations* — dit-il (*Cahiers du
Nord*, 1928) — quand elles tentent les voies de la prose
discursive, s'essoufflent vite, ne recouvrent souvent que
d'indigentes pensées et ne révèlent qu'une syntaxe inutilement torturée, des tours ingénieux ou bizarres, que de
scintillantes rencontres de vocables ne suffisent point à
faire excuser. » En prose, c'est Voltaire — admet H. Charpentier — qui a raison contre Mallarmé. « Mais — ajoute-
t-il pourtant — ceux qui ont longtemps lu Mallarmé sont
enclins à trouver fade tout autre style. Les amateurs de
mets trop rares perdent ainsi le goût de nourritures plus
simples et plus substantielles et ne peuvent plus se passer
d'épices ni Mithridate de poisons. »

L'amusant est que Mallarmé admettait théoriquement
le besoin de clarté en prose quoiqu'il n'eût pas le courage
de mettre cette doctrine en pratique. A L. Dauphin, en
effet, il a dit : « Le Réel a à son service la prose qui
suffit amplement à nous le montrer ; — les vers, sans nulle
parenté avec elle, ne doivent jamais servir que le Rêve et
lui seul. »

Une circonstance sur laquelle on n'a pas assez insisté,
c'est sur la gêne apportée chez lui à l'élaboration de pensées

vraiment profondes (je ne parle ici que de la période hermétique) par la richesse banvillesque de ses rimes.

Sur ce terrain, nul ne fut plus parnassien et moins symboliste que lui. Presque tous ses « vers de circonstance » sont à base de calembours et n'ont d'ailleurs aucune prétention à l'idéologie, soit qu'il fasse rimer « astrakan » avec « François Coppée à Caen » ou « Je te lance mon pied vers l'aine » avec « que rêve mon ami Verlaine ». Où le problème apparaît comme plus grave, c'est quand, dans des poèmes comme la *Prose pour des Esseintes* où nous sommes tentés de chercher un message doctrinal, on s'aperçoit que Mallarmé a surtout été dominé par le désir de réussites comme la conjonction de « de visions » en deux mots avec « devisions » en un seul; conjonction encore de « par chemins » avec « parchemins », « litige » avec « la tige », « désir, Idées » avec « des iridées », « monotone ment » avec « étonnement ». Dans ses vers sur les éventails, il ne peut résister au plaisir de faire rimer « ce l'est » avec « bracelet » quoique « ce l'est » n'ait rien de bien élégant. Rien d'élégant non plus dans « hormis l'y taire » qui, dans *Petit air guerrier* s'entrechoque avec « militaire ». Quand Banville fait rimer « Gall amant de la reine » avec « galamment de l'Arène » ou « cette cire accuse » avec « Syracuse », nous le félicitons de sa virtuosité de prestigieux jongleur mais nous ne nous attendons pas à recevoir de lui en même temps des leçons de métaphysique.

Il est bien remarquable que, tant que Mallarmé a été le poète d'*Hérodiade* et de l'*Après-midi d'un Faune* il n'attachait pas à la rime millionnaire une pareille importance. Jamais il n'a autant employé le mot de « jeu » que pendant cette période hermétique au cours de laquelle la richesse des rimes le console d'une renonciation forcée à son ancien idéal. Quand, en 1895, le *Figaro* publie *Toute l'âme résumée,* c'est bien l'impression de Mallarmé en même temps que celle du journaliste qui est traduite par Austin de Croze quand il dit : « Voici des vers que, par *jeu,* le poète voulut bien écrire à notre intention pour cette enquête. » Le tragique a presque complètement disparu de sa poésie. Même le mythe solaire est devenu pour lui le « jeu suprême » auquel se divertit Celui que Renan appelait amicalement « le Grand Chorège ». Comment peut-il se faire que l'écrivain qui ne prononçait pas sans frémissement à Tournon le mot d'« Absolu » plaisante plus tard sur les W. C. qu'il appelle « les absolus lieux »?

Peut-être sera-t-on surpris de ce que je paraisse distinguer une incompatibilité nécessaire entre le goût pour la rime-calembour et le sérieux d'un poème. Mais enfin, quand le poète (« O qui dira les torts de la rime! » s'écriait Verlaine et les vrais symbolistes étaient de son avis) est tenu, pour remplir un tiers ou davantage de son vers, de se réserver des mots désignés d'avance, il lui est bien difficile de ménager une place pour les idées dans les deux autres tiers. Quand un chansonnier, dans un cabaret, improvise un poème sur des rimes qui lui ont été lancées de la salle, personne ne lui en voudra si la pensée n'est pas millionnaire, tout comme étaient les rimes.

Surpris comme moi par cette luxuriance de rimes chez le Mallarmé de la seconde période, Henry Grubbs dans *Modern language Association* de Baltimore (1950) a rapproché ce phénomène d'un incident qui date de 1865 et qui montre à quel point la rime riche était appréciée dans certains milieux littéraires du temps. Alexandre Dumas, dans le *Petit Journal,* avait ouvert un concours de bouts-rimés. Les rimes étaient imposées; il y en avait vingt-quatre (ongle et jungle, faisan et parmesan, etc.). Le sujet était choisi par Dumas. Celui-ci reçut plus de deux cents poèmes qu'après souscription, il publia en un volume qu'on peut feuilleter à la Bibliothèque Nationale. J'ai remarqué que divers concurrents n'ont pas jugé l'épreuve comme étant suffisamment ardue puisqu'ils ont corsé le concours d'un acrostiche formé avec les premières lettres du poème. L'un des acrostiches était : « Dumas, tu seras immortel. » Mais nul ne sera surpris d'apprendre que ces poèmes ne contenaient pas d'éblouissantes pensées.

Chapitre VI

ÉROTISME ET STÉRILITÉ

Une fois que l'on est arrivé à clarifier les poèmes hermétiques de Mallarmé en éliminant les obscurités de syntaxe et de vocabulaire (il n'y a guère d'obscurité de pensée dans ces poèmes sauf dans le *Coup de Dés* qui n'est pas véritablement un poème hermétique), on est désappointé de s'apercevoir que, dans plusieurs cas, Mallarmé a mis à profit cet hermétisme pour donner libre cours à un érotisme et même à une scatologie que cet universitaire si réservé n'aurait pas osé exprimer en langage clair. Ces phénomènes de refoulement ne se seraient pas produits si Mallarmé, dans la deuxième partie de sa vie, n'avait pas été victime de certains complexes résultant d'un déséquilibre physiologique qu'il est de notre devoir d'examiner car ses inquiétudes sexuelles ne sont pas sans rapport avec cette « stérilité » tant physique qu'intellectuelle dont il n'a pu s'empêcher très fréquemment de parler et qui, indiscutablement, l'a orienté vers un hermétisme et une absence de fécondité littéraire qui peu à peu s'imposent à lui. Comme l'a reconnu très franchement le professeur Mondor dans ses *Propos sur la poésie* par Mallarmé : « Après 1870, la rue de Rome inspire au grand théoricien de la poésie pure moins de projets que de méditations et de pensées, moins d'enthousiasme créateur que d'esthétisme un peu doctoral et des exercices fort concentrés. »

Les termes : stérilité et impuissance reviennent très souvent sous la plume de Mallarmé. L'enthousiasme du professeur Mondor ne voudrait distinguer dans ces expres-

sions que la magnifique humilité d'un génie plus proche
que tout autre de la perfection mais par cela même plus
conscient que tout autre de la distance le séparant de son
idéal. « Ce qu'on a appelé — dit-il — l'impuissance de
Mallarmé, c'est cette admirable exigence d'art pur et le
fier mépris d'un jeune homme pauvre contre toute impro-
visation hâtive et fructueuse. Des écrits de ceux qui bientôt
le railleront et vivront de leurs pamphlets, on ne lira, un
jour, presque plus rien; les noms mêmes de ces échotiers
inconvenants, accaparés par l'actualité, les expédients, le
tintamarre, ne se prononcent plus quelques semaines après
leur mort; leurs moqueries les moquent finalement eux-
mêmes; leur injustice les juge mais les poèmes de « l'impuissant » qu'ils ont bafoué au lieu de le pressentir,
intriguent, passionnent, conquièrent de plus en plus et
chanteront dans les mémoires les mieux ornées. » (*Vie de
Mallarmé*, vol. 1, p. 54.) Mais distinguer des nuances
plus complexes dans ces notions de stérilité et d'impuissance,
serait-ce donc, de la part d'un critique, faire preuve tout
simplement d'incompréhension et d'un lamentable esprit
de dénigrement? C'est pourtant à ce reproche que je vais
ici m'exposer, tout en reconnaissant que, sans doute, dans
les thèmes de stérilité et d'impuissance, il entre bien quelque chose de ce louable sentiment de découragement devant
l'énormité de la tâche entreprise. Mais si, d'autre part, on
veut bien considérer qu'un lien existe chez Mallarmé entre
ces vocables et ceux de « virginité », d'« inutilité » ou
même de « diamant », si surtout on saisit que, chez Mallarmé, « impuissance » et « stérilité » doivent être tenus
comme ayant une portée aussi bien physiologique qu'intellectuelle, on s'apercevra qu'ils conduisent à de très curieuses
interprétations.

La stérilité n'est point chez Mallarmé un état absolument permanent puisque s'il constate à certains moments
qu'il n'en souffre pas, il est d'autres moments au contraire
où il se plaint avec amertume de son incapacité d'action
et de composition. Cette stérilité, c'est lui qui le déclare,
se manifeste chez lui par des signes qui sont d'abord d'ordre
physique et qui ont un profond retentissement sur sa
sexualité. Est-elle due, comme il se le demande, au
« priapisme de sa jeunesse », quoiqu'il semble bien qu'il se

soit, à la réflexion, exagéré des dépenses d'énergie que d'autres organismes auraient jugées normales? Ses angoisses étaient-elles, comme l'a soutenu Léon Teissier, dans *Marsyas,* au cours de son compte rendu du livre du Dr Fichet sur l'*Aliénation poétique,* le résultat d'une torpeur héritée de ses ascendants? Toujours est-il qu'à maintes reprises, dans sa correspondance (et ce n'est pas chez lui un simple développement de littérateur), il se plaint d'être rongé par un « Ennui » qui engourdit sa volonté. Le 3 août 1864, il écrit de Tournon à Aubanel : « J'ai le cerveau trop malade pour vous en dire plus long. » Le 3 décembre, il dit à Mistral : « Permettez-moi de profiter du nouvel an pour vous serrer la main de bien loin, du fond de l'Ennui... Je suis dans une cruelle position; les choses de la vie m'apparaissent trop vaguement pour que je les aime et je ne crois vivre que quand je fais des vers; or je m'ennuie parce que je ne travaille pas et, d'un autre côté, je ne travaille pas parce que je m'ennuie. Sortir de là!... J'ai là une vieille image; je vous l'envoie parce que, le jour où je ne serai plus que mon ombre, et ce jour vient, elle aura une certaine valeur de bizarrerie. » Le 31 décembre 1865, par contre, il se sent beaucoup mieux et à Mistral, il écrit, toujours de Tournon : « Vous aviez raison; le spleen m'a presque déserté et ma poésie s'est élevée sur ses débris, enrichie de ses teintes cruelles et solitaires mais lumineuses. L'impuissance est vaincue et mon âme se meut avec liberté. Merci de votre amicale prophétie; d'elle est née sans doute cette Résurrection. » Pourtant, en ce même décembre 1865, il avait écrit à Aubanel : « Une atroce névralgie a battu à mes tempes et tordu les nerfs de mes dents pendant toutes les minutes matinales et nocturnes de ma semaine. » C'est en 1865 aussi qu'en des termes à peu près analogues, il a écrit et à Cazalis et à Lefébure : « Quand, après une journée d'attente et de soif, vient l'heure sainte de Jacob, la lutte avec l'Idéal, je n'ai pas la puissance d'aligner deux mots et ce sera de même le lendemain » ou encore : « Etre un vieillard fini à 23 ans alors que tous ceux qu'on aimait vivent dans la lumière et dans les fleurs, à l'âge des chefs-d'œuvre... J'ai si peu de vie que mes lèvres pendent et que ma tête qui ne peut plus se dresser penche sur mon épaule ou tombe sur ma poitrine. »

En juin 1866, par contre, il écrit à Aubanel : « J'ai plus travaillé cet été que toute ma vie. J'ai jeté les fondements d'une œuvre magnifique. » En juillet de la même année, il traverse encore une crise d'espoir : « Je pense qu'il me faudra vingt ans pour les cinq livres dont se composera l'œuvre. » Une lettre qu'il envoie en 1867, de Besançon, à Cazalis, montre que, de temps en temps, il reprenait confiance en lui-même : « Je viens, à l'heure de la Synthèse, de délimiter l'Œuvre qui sera l'image de ce développement. Trois poèmes en vers dont *Hérodiade* est l'Ouverture mais d'une pureté que l'homme n'a pas atteinte — et n'atteindra peut-être jamais — car il se pourrait que je ne fusse le jouet que d'une illusion et que la machine humaine ne soit pas assez parfaite pour arriver à de tels résultats. Et quatre poèmes en prose sur la conception spirituelle du Néant... » C'est que 1866 avait été pour lui une année d'euphorie relative, l'année de l'apogée de son talent, l'année d'*Hérodiade* et de ce que Gabriel Faure a appelé « la nuit de Tournon » (« Une nuit de Tournon — dit Faure — est la nuit d'Idumée »). C'est alors que, dans une vision, hélas! fugitive, Mallarmé a entrevu le spectacle de toute une œuvre future, immense et en qualité et en quantité.

Mais, vite, l'épuisement le reprend. De Besançon, en août 1867, il écrit à Mistral : « Pardon, mon bon Mistral, je souffre cruellement du cerveau depuis une saison et toute lettre m'est interdite... Pardonnez-moi cette lettre ignare que, par honte, je voudrais dater de mon lit, dussé-je être plus gravement affecté — et ne recevez que mon amitié. » Dans la lettre où il annonce à Aubanel sa nomination au Lycée d'Avignon, il déclare : « J'ai passé la plus triste année de ma vie, miné par un mal auquel je ne comprends rien et me raidissant sur les poèmes commencés, avec un stérile désespoir. » Même lorsqu'il est arrivé à Avignon, la dépression se poursuit. Le 27 janvier 1868, il écrit à Mistral : « Tout l'édifice si patiemment reconstruit de ma santé et morale et naturelle s'est écroulé. » En 1870, il signale au même Mistral que des troubles nerveux l'obligent à solliciter un congé.

Il est bien curieux que la période où Mallarmé croyait avoir triomphé de sa stérilité ait aussi peu duré et qu'immédiatement après, dès 1868, on ait constaté chez lui une orientation complètement différente; faute de pouvoir donner suite à ses projets de production intense, il se résout à ne plus publier que de très courts poèmes, à la fois très hermétiques et très peu nombreux; en même temps, il transforme en doctrine et en idéal cette stérilité qu'il sent s'accentuer en lui.

Lorsque, en 1869, il a composé *Igitur*, il a, un moment, espéré que le mal était conjuré. « C'est un conte — a-t-il écrit le 14 novembre à Cazalis — par lequel je veux terrasser le vieux monstre de l'Impuissance... S'il est fait (le conte), je suis guéri. » On sait que Mallarmé ne termina pas *Igitur*. Cependant, à mesure qu'il avançait en âge, Mallarmé semble beaucoup moins préoccupé; il se plaint beaucoup moins de sa santé; sans doute, les « pertes nocturnes » qui, disait-il, le laissaient épuisé lorsqu'il s'éveillait, avaient à peu près cessé; de plus, reconnu maintenant comme chef d'école et entouré de respectueux disciples qui l'admiraient et d'être obscur et de produire si peu, il se sentait rasséréné; au lieu de s'affliger de son impuissance physique et de la rareté de ses instants d'inspiration, il s'en félicite comme d'un titre de gloire.

Dans l'*Azur* qui date de 1864, Mallarmé se plaignait encore de son impuissance comme d'un cancer qui le rongeait. Dans la lettre de mars 1864 à Lefébure où il analyse la pièce, il constate sa « navrante impuissance ». « Dans la première strophe — dit-il — l'azur torture l'impuissant en général. Dans la seconde, on commence à se douter, par ma fuite devant le ciel possesseur, que je souffre de cette cruelle maladie... La prière au « cher ennui » confirme mon impuissance... La quatrième commence par une exclamation grotesque d'écolier délivré : « Le ciel est mort! »... Voilà bien la joie de l'Impuissant. Las du mal qui me ronge, je veux goûter au bonheur commun de la foule. »

Dans ses œuvres de jeunesse, on rencontre aussi (Editions de la Pléiade, p. 261), sous le titre de *Symphonie littéraire,* une invocation à la Muse moderne de l'Impuissance : « O Muse moderne de l'Impuissance qui m'interdis depuis longtemps le trésor familier des Rythmes, et me condamnes (aimable supplice) à ne faire plus que relire — jusqu'au jour où tu m'auras enveloppé dans ton irrémédiable filet, l'ennui, et tout sera fini alors — les maîtres inaccessibles dont la beauté me désespère; mon ennui et cependant mon enchanteresse aux breuvages perfides et aux mélancoliques ivresses, je te dédie comme une raillerie ou — le sais-je? — comme un gage d'amour, ces quelques lignes de ma vie écrites dans les heures clémentes, où tu ne m'inspiras pas la haine de la création et le stérile amour du néant. Tu y découvriras les jouissances d'une âme purement passive qui n'est que femme encore et qui demain peut-être sera bête. » Déjà dans ce passage se distingue une tendance, chez Mallarmé, à tirer gloire du mal dont il souffre.

A plusieurs reprises, dans *Symphonie littéraire,* le mot ennui est prononcé; on y retrouve aussi les métaux et les pierres précieuses chers à Baudelaire qui les mêle souvent à ses descriptions de paysages immobiles et il est très naturel que de pareils termes figurent ici puisque, dans ces pages, Mallarmé veut évoquer les sensations que provoque en lui la lecture des *Fleurs du Mal :* « Je vois de mornes bassins disposés comme les plates-bandes d'un éternel jardin; dans le granit noir de leurs bords, enchâssant les pierres précieuses de l'Inde dort une eau morte et métallique avec de lourdes fontaines en cuivre... » Plus loin, Mallarmé se montre, regardant « l'ennui dans le métal cruel d'un miroir ». C'est que les métaux, comme les pierres précieuses ou les pierres de foudre, autrement dit les aérolithes, sont des matériaux dont l'immuabilité, au rebours des plantes, symbolise la notion d'une majestueuse, riche et dédaigneuse stérilité. Sur les pierres précieuses qui, pour les occultistes, sont douées de vertus magiques, Mallarmé avait formé le projet de composer un traité. D'aérolithes, il est question dans le poème sur le tombeau d'Edgar Poe et aussi dans les vers sur le tombeau de Verlaine où c'est un aérolithe que décrit cette périphrase à la Delille :

> *Le noir roc courroucé que la bise le roule.*

Dans *Hérodiade,* il est dit que les cheveux de la jeune fille
> *Observent la froideur stérile du métal*

cependant que, dans ses yeux, se lit « un clair regard de diamant ».

Ce qui, pour Mallarmé, constitue en effet la magnificence de ces métaux et de ces pierres, c'est précisément leur non-productivité et leur froideur, le fait qu'ils sont des objets « inutiles ». « Inutiles » est un des plus beaux éloges que puisse décerner Mallarmé. A son Vasco de Gama, un oiseau annonce la proximité d'un

> *inutile gisement,*
> *Nuit, désespoir et pierreries.*

Sur ce point, Mallarmé était en parfait accord avec les Parnassiens qui, admirateurs de l'art pour l'art, appréciaient un objet dans la mesure où ils découvraient en lui ce que Samain dénommait :

> *L'incorruptible orgueil de ne servir à rien.*

Quel abîme entre ce point de vue et celui des décorateurs de 1925 pour qui un vase était nécessairement beau lorsque sa forme correspondait à une utilité domestique! La méfiance de certains parnassiens intégraux à l'égard du mouvement et leur indifférence devant les spectacles de la nature les conduisait à estimer davantage les joyaux que les astres. On se souvient des vers d'Ephraïm Mikhaël :

> *Et les soleils épars dans les nuits constellées*
> *N'étaient pour moi que des bijoux sur du velours.*

Mallarmé aimait le silence de la forêt de Fontainebleau quand le vent n'en agitait pas les ramures et il se plaisait à voguer lentement sur les rivières mais la campagne en général ne l'intéressait pas. Plusieurs fois, il a insisté sur cette considération que le spectacle de la nature gêne le poète dans ses méditations. Il tolérait les parcs et les jardins parce que la pensée humaine y avait laissé sa marque. Comme Gustave Moreau, il travaillait derrière des volets clos, à la lumière artificielle. De toutes les saisons de l'année, celle qu'il préférait, c'était le « stérile hiver ». Le printemps était « maladif », l'été, la période de l'implacable azur. Il adorait la neige parce qu'elle couvrait tout d'un linceul.

Pour en revenir à l'expression « inutile », notons que ce qui fait, pour lui, la beauté de la captivité du cygne dans son lac glacé, c'est que son « exil » est « inutile »; l'oiseau se redresse avec dignité tout en sachant que son geste est entièrement vain. Hérodiade, elle, est fière de sa « chair inutile ». Elle triomphe de ses désirs pour faire briller aux yeux de tous

La froide majesté de la femme stérile.

Car, de même que Mallarmé est arrivé à tenir l'impuissance comme une sorte de privilège chez l'homme supérieur, il considère la stérilité chez la femme idéale comme le digne pendant de l'impuissance masculine et là nous reconnaissons l'influence de la philosophie de Schopenhauer dont toute l'époque symboliste a été imprégnée : il n'est pas bon que l'espèce humaine se perpétue. Cette doctrine malthusienne n'interdit pas l'érotisme à Mallarmé : bien au contraire, mais c'est un érotisme dont la vierge ou plus exactement la demi-vierge sera la prêtresse. Ce qu'il s'interdit (l'impuissance, soit dit en passant, facilite chez lui cette abstention), c'est la possession. Mais, à part cela, toutes les privautés sont autorisées. Dans *l'Après-midi d'un Faune*, le satyre décrit avec une extrême précision les voluptés qu'il demande simultanément aux deux nymphes mais il les laisse toutes deux vierges. Dans une première version du poème, Mallarmé avait écrit :

Adieu, vierges quand je vins

mais, se ravisant ensuite, il déclare :

Couple, adieu; je vais voir l'ombre que tu devins.

Les enlacements de la Négresse et de sa jeune amie ne risquent pas d'aboutir à une naissance intempestive. Par contre, dans un de ses sonnets et avant *Tes père et mère* de Richepin, il a caricaturé l'accouplement conjugal :

Un niais met sous lui sa femme froide et sèche,
Contre ce bonnet blanc frotte son casque à mèche
Et travaille en soufflant inexorablement.

Et de ce qu'une nuit, sans rage et sans tempête,
Ces deux êtres se sont accouplés en dormant,
O Shakespeare et toi Dante, il peut naître un poète!

C'est qu'à Mallarmé, il répugnait de penser qu'il pût, lui poète et si aristocrate (qu'on n'oublie pas comment, enfant, il tenta de se faire passer pour le comte de Boulainvilliers!) descendre de parents roturiers.

Cependant, si le poète réprouve l'acte sexuel, créateur de vie humaine, en revanche, il recherche, comme je l'ai signalé tout à l'heure, tous les contacts possibles avec le corps féminin et il est permis de se demander si une des causes de son hermétisme n'a pas été que cet hermétisme lui rendit plus aisée l'énumération de ces contacts. Non seulement, il a souvent traité de la chevelure de la femme qui est une de ses principales sources d'inspiration mais il a défini le sein comme la « pomme » et plus ingénieusement comme « le fruit qui ne se consomme » puisque, à la différence des autres fruits de la nature, il est possible de s'en satisfaire sans le détruire. Quant au sexe, il le dépeint comme le « bouton de rose » ou « la fleur qu'on respire éperdu ». Un des poèmes les plus curieux à cet égard est un rondel qui figure aux pages 176 et 177 de l'édition de la Pléiade et qui s'achève comme il a commencé par « Prenez dans chaque main de l'homme ». Il est précédé d'un autre rondel, très chaste celui-là, où Mallarmé remercie Mme de Montjau des cadeaux offerts par elle à sa fille Geneviève, mais ce que, à la fin du deuxième rondel, il conseille à une autre femme, qui pourrait bien être Méry Laurent, c'est de calmer les incertitudes de son amant hésitant entre la « pomme » et le « bouton de rose »; qu'elle l'engage donc à tenir en même temps l'un et l'autre objet dans une de ses mains. Comment se fait-il que des lettrés qui auraient immédiatement compris le madrigal s'il leur avait été récité dans un cabaret ne se soient pas avisés de cette interprétation, tant on les avait persuadés qu'un poème de Mallarmé ne devait être que philosophique?

Mais bien d'autres poètes ont été érotiques. Ce qui constitue l'originalité de Mallarmé, c'est qu'à tous ses jeux sexuels il ait tenu à conférer un caractère virginal puisque la femme qui y participe demeure vierge malgré tout, au sens technique du terme et, sur ce terrain, il s'affirme terriblement intransigeant. Pour lui, la femme en état de virginité est le seul être qui mérite l'adoration. Dans *Variations sur un sujet* (Ed. de la Pléiade, p. 381), il condamne le geste de couper un livre avec un coupe-papier parce qu'il y découvre la brutale prise de possession du volume auquel est ainsi enlevée sa virginité; il rappelle même à ce propos le temps où la tranche des volumes était rouge, si bien que le couteau de bois ou de métal donnait l'impression de pénétrer dans des chairs saignantes. (Que Freud eût été heureux s'il avait lu ce texte!)

« Voici, dans le cas réel, que, pour ma part, cependant, au sujet de brochures à lire d'après l'usage courant, je brandis un couteau, comme le cuisinier égorgeur de volailles.

« Le reploiement vierge du livre, encore, prête à un sacrifice dont saigna la tranche rouge des anciens tomes, l'introduction d'une arme, ou coupe-papier pour établir la prise de possession », etc.

Ce sang de la vierge, s'il n'admet pas que le mâle le fasse couler, Mallarmé, par contre, se plaît à y songer lorsque ce sang est le signe de la puberté. Le moment où la fillette captive son attention, c'est celui où elle se sent brusquement devenir nubile. La virginité pour lui ne commence en effet qu'au moment prodigieux où, suivant son expression, « l'enfant près de finir jette un éblouissement et s'intitule la vierge de l'un ou l'autre sexe ».

Rapprochez de ce passage en prose les derniers vers d'Hérodiade exhalant

> *les sanglots suprêmes et meurtris*
> *D'une enfance sentant parmi les rêveries*
> *Se séparer enfin ses froides pierreries.*

Mais alors que Mme Delarue-Mardrus n'est hostile qu'à la conception, c'est du geste d'amour lui-même que Mallarmé est adversaire. La femme qui lui plaît est celle qui, suivant son expression, n'a pas encore été « révélée ». La femme non-révélée, c'est celle (car, avec Mallarmé, il faut toujours revenir à l'étymologie donnée par Littré) dont « le voile n'a pas été levé » et par ce voile, nous devons évidemment comprendre la membrane de l'hymen. J'ignore s'il est des vocabulaires médicaux ou autres dans lesquels « révélé » se rencontre avec cette signification précise et anatomique. Il est probable que oui puisque Gaston Chérau, dans son remarquable roman *Valentine Pacquault*, l'emploie exactement dans ce sens.

L'héroïne de Chérau, depuis peu mariée, est demeurée vierge quoiqu'ayant eu avec son mari des relations normales. Le lieutenant Tassart la prend un soir presque de force et ce qui attache la jeune femme, c'est que, au moment où il la possède, Valentine se trouve par hasard être « révélée ». « Il arriva cette chose formidable : ce fut à cet instant qu'elle fut révélée! Alors elle se détendit tout à fait, ébahie. Ses regards cherchèrent ceux de l'amant qui lui avait procuré cette extase surprenante. »

Dans cette attraction sensuelle vers la vierge, aussi longtemps qu'elle est restée vierge, Mallarmé avait été précédé par Gustave Moreau dont le mysticisme pervers a souvent influencé le poète. Il existe toute une correspondance de Huysmans à Mallarmé dans laquelle il est question des toiles de Moreau et le *Cantique de Saint Jean* qui fait partie du cycle d'*Hérodiade* n'est qu'une description minutieuse du fameux tableau *Apparition* où Hérodiade dansant une fleur à la main est fascinée par la tête coupée de saint Jean qui apparaît en face d'elle au milieu d'un cercle de lumière. Dans un article de la *Revue de littérature comparée*, j'ai montré que le mythe d'Œdipe et du Sphinx (ou plutôt de la Sphinge) se retrouve également chez Moreau et chez Mallarmé.

Que l'on s'exprime aussi franchement que je l'ai fait sur la stérilité de Mallarmé, avec l'audace que justement le poète déployait lorsqu'il s'exprimait sur ce chapitre, voilà ce qui, peut-être, révolte le plus les Mallarméens de stricte obédience qui se sont fabriqué un Mallarmé tout différent du Mallarmé réel et qui ne veulent pas qu'on touche à ce qui était, ils le sentent, un des points essentiels de sa personnalité. Cette divergence sur le problème de la stérilité mallarméenne a été une des principales causes de friction entre les fondateurs de la *Nouvelle Revue Française*. Léon Bocquet et Eugène Montfort ont dû quitter le cénacle parce qu'ils avaient eu l'intention, lorsque le périodique allait prendre naissance, de présenter à l'examen des lecteurs l'étude si pénétrante de Jean-Marc Bernard sur la stérilité de Mallarmé. « Nous le voyons — avait écrit Jean-Marc Bernard — *tirant une force de sa privation*. Stérile, prenant le vide en lui, par un sursaut de volonté, il se jura de faire de ce vide, de cette stérilité, le sujet même de son œuvre.

Voilà certes une belle idée poétique. » Belle idée qui, il est vrai, ne pouvait mener qu'à une impasse ceux qui se réclamaient de lui et, ce qui les irritait le plus, c'est que, sans consentir à se l'avouer, ils se sentaient en désaccord total avec lui. Comme l'a dit Weidlé dans *les Abeilles d'Aristée*, pour Mallarmé « la feuille blanche était un symbole de stérilité » tandis que, pour Gide, par exemple, cette feuille blanche était riche de « promesses infinies ».

Quant à la sensualité du poète, elle est, je crois, admise par tous.

« Des oreilles longues et pointues de satyre », telle est une des caractéristiques du visage de Mallarmé qu'a relevées Jules Huret lorsque, en 1891, il alla l'interviewer au cours d'une enquête sur l'évolution littéraire. Rien d'étonnant que le poète ait écrit *l'Après-midi d'un Faune* où, s'identifiant à l'égipan ivre de sensualité, il ne cache pas ses préoccupations sexuelles. Il était inévitable qu'étant donné son aspect physique et le titre du plus important de ses livres, ses contemporains aient parlé de lui comme d'un faune. C'est sous ce surnom que le désigne Flaubert lorsqu'il écrit à sa nièce Caroline : « J'ai reçu un autre cadeau, un livre du Faune. » A Hérédia, en lui envoyant un exemplaire du poème, Mallarmé se présente lui-même comme le principal personnage puisqu'au volume il ajoute en dédicace ce quatrain :

> *Ce motif que sa flûte file,*
> *Le Faune heureux la dédia*
> *Sur hollande au bibliophile*
> *Et haut rimeur Hérédia.*

A une dame, il déclare :

> *Ce Faune, s'il vous eût assise*
> *Dans un bosquet n'en serait pas*
> *A gonfler sa flûte indécise*
> *Du trouble épars de ses vieux pas.*

Les *Vers de Circonstance* contiennent toute une série d'airs de flûte de ce genre qu'il a réunie sous le titre d'« Offrandes à divers du Faune ».

Il n'a jamais été nié par personne que les problèmes

sexuels aient beaucoup intéressé Mallarmé et il n'est pas, je crois, de poète ni même d'homme digne de ce nom qui n'aient pas été visités par des désirs. Comme disait, dans une conférence pédagogique à ses étudiants d'agrégation un autre poète universitaire, lui aussi professeur d'anglais, le savoureux auteur d'*Amicae Amissae*, Auguste Angellier : « Un bon professeur doit bien boire, bien manger et... bien pisser », ce qui n'a pas empêché Angellier d'écrire (l'a peut-être aidé à écrire) le vers célèbre :

> *Les caresses des yeux sont les plus adorables*

Si j'insiste cependant ici sur la sexualité de Mallarmé, c'est qu'elle était, dans son cas, un élément tout à fait prépondérant de sa personnalité : elle avait des aspects extraordinairement particuliers dont on ne s'aperçoit que lorsqu'on a pénétré le sens caché de certains de ses vers.

Pendant toute sa carrière poétique, Mallarmé a été attiré par les images sexuelles ; au moment de se marier, il avoue à Des Essarts que, jadis, il a composé des vers confiés par lui à Cazalis et que lui avait dictés une certaine perversité (voir *Vie de Mallarmé*, par Mondor, p. 88). En octobre 1864, il écrit à Cazalis : « Il a fait de ces jours tristes et gris où

> *Le poète noyé rêve des vers obscènes.* » (id., p. 145.)

A partir du moment où il a donné à ses pensées une forme hermétique, il s'est senti beaucoup plus à l'aise pour exprimer les idées qui le hantaient et pour décrire minutieusement les diverses parties du corps féminin.

Commençons par les seins. Dans *A une petite laveuse blonde*, qui date de 1861 et qu'il écrivit à Sens, il achevait son poème par ces deux vers :

> *Ta gorge entr'ouvrait ton corsage*
> *Comme un ramier sort de son nid.*

Dans *Une négresse*, poème qu'il a décrit lui-même, dans une lettre à Cazalis, comme « un tableau obscène » et qui a paru en Belgique dans le *Nouveau Parnasse Satyrique* en 1866, il n'oublie pas, lorsqu'il nous la montre « goûtant » à une fillette blanche ou plutôt se laissant « goûter » par elle, de mentionner les tétons de la moricaude

> *A son ventre compare heureuses deux tétines,*

une variante étant

> *Sur son ventre elle allonge en bête ses tétines.*

Dans le poème en prose, *le Phénomène futur*, qu'il compose en 1864 à Tournon et où il décrit la femme d'autrefois, c'est-à-dire la femme d'aujourd'hui telle qu'elle apparaîtra aux générations d'un siècle décadent, cette femme survivant à son époque et que le Montreur des Choses passées exhibe dans sa baraque, il nous la fait voir pourvue de « seins levés comme s'ils étaient pleins d'un lait éternel, la pointe vers le ciel ».

Dans une des versions de *l'Après-midi d'un Faune* (Ed. de la Pléiade, p. 1448), le monologue débutait ainsi :

> *J'avais des nymphes!*
> *Est-ce un songe?*
> *Non, le clair*
> *Rubis des seins levés embrase encor l'air*
> *Immobile*

Cette vision des seins érigés le poursuit lorsque, chargé de rédiger pour le *National* en 1871 trois lettres sur la section française de Londres, il s'y intéresse à « de vastes urnes de marbre griotte, que touchent de l'aile, ainsi que du feuillage naissant à leur croupe deux chimères, les seins levés, faites d'argent oxydé; puis de délicieuses armes de la Renaissance à mascarons, dont les anses sont des bergers-faunes et des faunesses-bergères qui, de cette éminence, regardent au loin, les mains sur les genoux. Vous voyez quelle variété pittoresque et charmante. Ce dernier chef-d'œuvre est exposé par MM. Marnyhac. » Lorsque Jules Huret, en 1891, l'interroge sur l'évolution des lettres, c'est encore à une poitrine féminine qu'il songe de façon assez inattendue, lorsqu'il note le développement qu'ont pris alors en France les recherches psychologiques. « Après les grandes œuvres de Flaubert, des Goncourt et de Zola, qui sont des sortes de poèmes, on en est revenu aujourd'hui au vieux goût français du siècle dernier, beaucoup plus humble et modeste, qui consiste non à prendre à la peinture ses moyens pour montrer la forme extrême des choses, mais à disséquer les motifs de l'âme humaine. Mais il y a, entre cela et la poésie, la même différence qu'il y a entre un corset et une belle gorge... »

Nous avons tout à l'heure signalé comment dans le deuxième *Rondel*, pour désigner le sein, Mallarmé avait inventé cette périphrase « le fruit qui ne se consomme ». Dans d'autres *Vers de circonstance*, l'expression de « fruits constants » accompagne plus chastement l'envoi de marrons glacés, fruits que les acheteurs peuvent en toute saison se procurer. Mais quand, dans un quatrain, il envoie à Mme Seignobos un colis d'oranges ou de mandarines, l'idée du « fruit qui ne se consomme » demeure plus ou moins nettement dans son esprit quand il murmure :

> *Avec mon souhait le plus tendre*
> *Comme il sied entre vieux amis*
> *Dans cette main qu'on aime à tendre*
> *Je dépose le fruit permis*

il n'est pas nécessaire d'être freudien militant mais seulement d'être doué d'un peu de jugeotte pour être convaincu qu'en écrivant « le fruit permis », il pense plus ou moins consciemment au « fruit défendu ».

C'est toujours en effet sous forme de « fruit » qu'il se représente le sein. Lorsqu'il veut expliquer que Berthe Morisot n'a guère peint que des nus de fillettes, c'est encore de « fruits » qu'il nous entretiendra. « Soit que l'humanité exulte, en tant que les chairs, de préférence chez l'enfant, fruit, jusqu'au bouton de la nubilité, là tendrement finit cette célébration de nu » (p. 535, 537, Ed. de la Pléiade).

Un des thèmes féminins les plus fréquents de Mallarmé est cependant la chevelure à laquelle il revient sans cesse, lui attribuant des vertus particulièrement aphrodisiaques.

Mais nous aurons tout loisir de détailler ce thème des cheveux dans l'œuvre mallarméenne quand nous en viendrons, dans la seconde partie de ce volume, à l'exégèse des poèmes hermétiques sur ce sujet.

Il nous faut maintenant en venir au sexe proprement dit que Mallarmé a dépeint avec beaucoup de réalisme dans le dernier quatrain d'*Une Négresse*, quoique je ne doute pas qu'il y ait des mallarméens capables d'y découvrir une résonance métaphysique :

> *Et dans ses jambes où la visiteuse se couche*
> *Levant une peau noire ouverte sous le crin*
> *Avance le palais de cette étrange bouche*
> *Pâle et rose comme un coquillage marin.*

Dans *Mysticis umbraculis* qui date de 1862, la présentation du sexe féminin était plus discrète que dans *Une Négresse*. Décrivant une femme endormie, il disait :

> *Elle dormait; son doigt tremblait sans améthyste*
> *Et nu, sans sa chemise, après un soupir triste*
> *Il s'arrêta, levant au nombril la batiste.*
> *Et son ventre sembla de la neige où serait,*
> *Cependant qu'un rayon redore la forêt,*
> *Tombé le nid moussu d'un gai chardonneret.*

Dans l'*Après-midi d'un Faune*, l'« adorable poème cochon » comme disait Verlaine, ce connaisseur, il recourt aussi à des termes assez imprécis pour faire comprendre que c'est « sous les replis heureux » d'une des nymphes qu'il va étouffer son voluptueux hennissement de joie.

Où je n'ose pas me prononcer nettement, quoique d'autres critiques l'aient fait avant moi, c'est s'il pense au sexe du mâle quand il nous montre le faune s'exaltant dans l'embrasement de « l'heure fauve ».

> *Alors, m'éveillerais-je à la ferveur première,*
> *Droit et seul, sous un flot antique de lumière,*
> *Lys et l'un de vous tous pour l'ingénuité.*

Freud, à ma place, n'hésiterait pas puisque, pour lui, rêver d'un lys, c'est rêver d'un sexe masculin. Et c'est bien en tout cas à un sexe masculin que pense Mallarmé lorsque dans *le Tombeau de Baudelaire*, il compare le manchon du bec de gaz à un « immortel pubis ».

Que si on m'accuse de déchiffrer trop aisément des préoccupations sexuelles là où il n'y a que méditations philosophiques, je répondrai que certainement Mallarmé était beaucoup plus perspicace encore que moi sur ce chapitre. Dans un de ses textes en prose : *Conflit* (Ed. de la Pléiade, p. 336), il lui a suffi d'apercevoir dans un cellier des pelles et des pioches déposées là par des ouvriers construisant à Valvins une ligne de chemin de fer, pour que ces outils groupés par deux évoquent en lui des idées de concupiscence. « Cette cohue entre, part, avec le manche, à l'épaule, de la pioche et de la pelle; or elle invite, en sa faveur, les émotions de derrière la tête et force à procéder directement, d'idées dont on se dit *c'est de la littérature!* Tout à l'heure, dévot ennemi, pénétrant dans une crypte ou cellier en commun, devant la rangée de l'outil double, cette pelle et cette pioche, sexuels — dont le métal, résumant la force pure du travailleur, féconde les terrains sans culture, je fus pris de religion, autre que de mécontentement, émue à m'agenouiller. »

Le vers du début d'*Hérodiade*, « *Je t'apporte l'enfant d'une nuit d'Idumée* », est éclairé, à mon avis, par la découverte de Denis Saurat que les hommes préadamiques, les rois d'Idumée, étaient, suivant la Kabbale, des élus asexuées se reproduisant sans femmes. « Le poète — dit Saurat — fait son poème seul sans femme, comme un roi d'Idumée : monstrueuse naissance. » A ceci, H. Charpentier a opposé cette juste constatation qu'Hérode était de lignée iduméenne et que, par conséquent, il n'était pas nécessaire d'aller chercher dans la Kabbale une raison de l'emploi ici du mot Idumée par Mallarmé. Mais ce n'est pas là, me semble-t-il, une objection suffisante : bien plutôt une confirmation. Mallarmé ne pouvait qu'être plus attiré par Hérodiade s'il suspectait en elle une ascendance anormale. Il admirait que ce fût chez les Iduméens une tradition familiale de ne jamais recourir pour se perpétuer à la copulation.

Et, de fait, dans toutes les versions de l'*Après-midi d'un Faune*, ce dont il s'est contenté, c'est de caresses labiales à l'égard d'une des deux sœurs tandis qu'il recourait à un seul doigt pour satisfaire l'autre :

> *Car, à peine j'allais cacher un rire ardent*
> *Sous les replis heureux d'une seule (gardant*
> *Par un doigt simple, afin que sa candeur de plume*

Se teignît à l'émoi de sa sœur qui s'allume)
La petite, naïve et ne rougissant pas :
Que de mes bras, défaits par de vagues trépas,
Cette proie, à jamais ingrate se délivre
Sans pitié du sanglot dont j'étais encore ivre.

Et partout des scènes du même genre se renouvellent.
Dans *Galerie macabre*, très imitée de Baudelaire, et où
il s'agit de chiffonniers qui baisent galamment

> *Un vieux linge sentant la peau des courtisanes*

ou qui s'amusent à

> *... lapider les chats dans l'amour s'abîmant*

(les chats, eux, n'étant pas aussi compliqués que le poète),
je relève encore ce vers :

> *Je veux plonger ma tête en tes cuisses nerveuses.*

Toujours, c'est le même rigorisme pervers établissant un
tri entre les bonheurs autorisés et les voluptés proscrites.
Encore n'ai-je pas le temps, dans cette étude pourtant
déjà longue, de m'étendre sur tout ce qui existe chez
Mallarmé de sensualité profonde, comment, par exemple,
le théâtre pour lui se résume en la danse ou plus exactement
en la danseuse (« J'ai une danseuse là! » disait-il à ses
amis en se touchant le front.) Dans Hérodiade, ce qu'il
aime, tout comme Gustave Moreau, c'est qu'elle incarne
pour lui en même temps et la danseuse et la demi-vierge.
Très olfactif, comme tous les sexuels, il se plaît à évoquer
l'odeur capiteuse sortant des « calices de ses robes »,
« arome aux farouches délices ». La prose intitulée *l'Ecclé-
siastique* (Ed. de la Pléiade, p. 286, 288) est pleine
d'étranges sous-entendus libidineux et la chatte même du
poète, lorsqu'elle soulève la queue en se promenant dans
l'appartement, suscite chez Mallarmé de bien curieuses
réflexions. « Elle n'a qu'une imperfection. Cette tonsure
qu'elle vous montre impudiquement, ce coin nu de sa bes-
tialité. J'ai souvent pensé à dorer cela. » (Déclaration
recueillie par Enry Bec, *Revue Indépendante*, mars 1893

et enregistrée par Mondor, 2ᵉ volume de la *Vie de Mallarmé*, p. 671.)

En rompant brutalement mais honnêtement le charme des enthousiasmes conventionnels, je sais à quelles haines je m'expose; à quels silences aussi (puisque le silence est l'arme préférée des exégètes traditionnels pris en défaut). Il est possible que ce soit moi qui sois accusé de priapisme et de goût pour l'obscénité parce que j'aurai simplement parlé en homme de bon sens et tiré parti d'une lecture assidue de l'œuvre de Mallarmé, cette œuvre que peu de mallarméens ont examinée d'un bout à l'autre même s'ils la détiennent chez eux en éditions originales. S'il est damnable de dire tout haut la vérité, je me résignerai aux blâmes qui me frapperont, avec la sereine ivresse du Révérend Père Gaucher d'Alphonse Daudet qui avait accepté de risquer la damnation dans l'intérêt de la communauté. Qu'on ne croie pas au surplus que j'admire moins pour cela la beauté formelle des vers d'*Hérodiade* ou de *l'Après-midi d'un Faune* ou la délicieuse saveur de certaines phrases si raffinées de la correspondance de Mallarmé. Ce que je me permets de soutenir, c'est que l'exaltation aveugle et sourde de toutes les productions d'un auteur, sans la moindre discrimination, n'est pas, à mon avis, la forme la plus haute de l'admiration à son endroit.

CHAPITRE VII

LE MUR DU SILENCE
ET COMMENT IL FUT FRANCHI

Ce qu'il y a eu, pour moi, de très instructif au cours de mes recherches, c'est l'obstruction que j'ai d'abord rencontrée de la part de certaines hautes personnalités du monde littéraire qui, gênées d'avouer qu'elles s'étaient méprises sur la signification des vers du poète, ont, non pas, il est vrai, opposé des arguments à ceux que j'avais présentés, mais dressé un mur de silence devant mes suggestions. Le regretté Henry Charpentier, exécuteur testamentaire du poète, m'a déclaré : « C'est vrai mais il ne faut pas le dire. » Et comme, gaiement, je lui répliquais : « Mais alors, comme je suis décidé à le dire, nous allons assister à un bien amusant spectacle, le monde entier arrivera à comprendre Mallarmé sauf les membres de l'Académie qui porte son nom », il se mit lui aussi à rire : « Vous avez raison. — reprit-il — Je vous écrirai une lettre officielle, reconnaissant que je suis de votre opinion. » Hélas! il ne me l'écrivit jamais. Le directeur d'un périodique d'avant-garde m'a objecté que « les intérêts de la poésie devaient passer avant les intérêts de la vérité ». Un des meilleurs amis de Gide m'a blâmé, même si j'avais raison, de « jeter le trouble dans l'âme des mallarméens ». Tout cela dans des lettres ou des conversations, car aucun d'eux n'a publiquement parlé de la position que j'avais prise. A ma connaissance, le professeur Mondor n'a nulle part fait allusion à ma découverte de Littré comme source d'influence sur Mallarmé. Je me suis heurté au même parti pris de silence dans plusieurs grandes revues auxquelles j'ai offert mes articles ou auxquelles j'ai demandé de les signaler, une fois qu'ils avaient paru. Je dois cependant faire exception pour *le Figaro littéraire* qui a publié très courageusement deux articles de moi.

Voilà pourquoi il ne m'a été possible pendant longtemps d'exposer mes idées que dans des revues de pure érudition ou dans des périodiques de combat, comme *les Cahiers de la Lucarne, Marsyas* et *Quo Vadis.* Quant aux revues d'érudition, elles m'ont toutes ouvert très généreusement leurs colonnes : la *Revue d'Histoire Littéraire de la France,* la *Revue de Littérature comparée, le Français moderne,* la *Revue des Sciences humaines* de l'Université de Lille. Mais ce qui m'a profondément ému et qui montre bien que le silence est une arme se retournant dangereusement contre ceux qui l'emploient comme moyen de défense, c'est que des protestations contre le boycottage pratiqué par divers milieux s'élevèrent de tous les points de l'horizon. Après que j'eus publié dans *Quo Vadis* un article intitulé : « La clé de Mallarmé est chez Littré », le directeur, M. Aubrun, invita des écrivains parmi les plus éminents à donner leur avis sur la question. Nous reproduisons ci-contre les réponses publiées, car elles donnent un excellent échantillonnage de l'attitude de nos contemporains devant le problème que j'avais posé (1).

JULES BERTAUT

Commençons, en observant l'ordre alphabétique, par Jules Bertaut, l'historien de la société au XIX⁰ siècle :

« On ne saurait trop féliciter Charles Chassé pour la campagne du déchiffrement mallarméen qu'il a entreprise. Avec une patience inlassable, il s'est penché sur ces textes d'une obscurité redoutable, et, à force d'ingéniosité, de travail, de connaissance des langues, il est parvenu à trouver la clé ou plutôt les clés, car il en est plusieurs, qui

(1) Pour des raisons de commodité, j'ai supprimé la réponse du regretté Fernand Divoire mais on la retrouvera dans la seconde partie de ce livre.

ouvrent cette poésie mystérieuse. Lorsqu'il aura réuni en un livre les études dispersées qu'il a données sur ce sujet, on sera stupéfait du résultat. Faudra-t-il rire, s'indigner, s'amuser, se répandre en admiration devant les procédés de Mallarmé? Tous les sentiments sont possibles devant les constatations de Charles Chassé. En tout cas, le seul fait qu'un poète ait employé une telle méthode pour s'exprimer pose, à lui seul, un problème psychologique étonnant, il faut vouloir être aveugle pour le nier. Après avoir expliqué la méthode, il faudra expliquer la psychologie de celui qui l'a appliquée et ce ne sera pas la partie la moins piquante de ce petit problème littéraire.

« Quant à ceux qui préconisent une campagne de silence sur les travaux de Charles Chassé, on ne peut que hausser les épaules devant leur prétention. Pourquoi la personnalité de Mallarmé serait-elle plus « tabou » que celle de Victor Hugo, de Verlaine ou de Lamartine? Lorsqu'on a découvert les héroïnes qui ont inspiré *le Lac, la Fête chez Thérèse* ou *le Livre d'amour,* l'a-t-on celé « dans l'intérêt du poète »? Ici, c'est bien autre chose : ce sont les mots mêmes, la syntaxe, le sens des phrases qu'il s'agit de retrouver, c'est tout le mécanisme cérébral d'un écrivain qu'il faut reconstituer. Problème probablement unique dans l'histoire des littératures. Félicitons Charles Chassé de l'avoir résolu. »

ALBERT DAUZAT (1)

Nous avons été très heureux de recevoir l'approbation d'Albert Dauzat, professeur aux Hautes Etudes et mieux placé que personne pour juger si oui ou non Littré avait tenu dans la pensée de Mallarmé le rôle que lui attribue Charles Chassé.

« La démonstration me paraît lumineuse et convaincante; elle complète celle que le même auteur a donnée dans *Lueurs sur Mallarmé.* La langue de Mallarmé est éclairée

(1) N.D.L.R. *de Quo Vadis.* — Dans le n° du *Français moderne* d'octobre 1950, p. 244, M. Albert Dauzat a montré l'importance du travail de M. Chassé, qui a été signalée aussi par M. Levaillant, professeur à la Sorbonne, à la soutenance (17 juin) d'une thèse d'un jeune Belge, M. Gengoux, consacrée à Mallarmé.

d'un jour nouveau; les procédés si curieux de l'écrivain sont analysés de façon objective et solide. Je signalerai cet article, en l'analysant brièvement, aux lecteurs de ma revue *Le Français moderne.* »

AUGUSTE DUPOUY

L'humaniste Auguste Dupouy nous écrit :

« Chassé n'est pas un blasphémateur mais un grand indiscret. Il veut regarder de près les choses les plus saintes, les toucher du doigt. Bénie soit son indiscrétion par tous ceux qui, sur toute matière, usent du sens commun jusqu'à la limite du possible! Il n'a jamais prétendu rabaisser Mallarmé pas plus que Jarry ni *Ubu*. Ce n'est pas sa faute si, essayant une clef, il a constaté qu'elle ouvre une porte. Quel est donc le Français, par hypothèse « né malin » qui refuserait, voyant cette porte ouverte, d'admettre que cette clef soit la bonne?

« Notons que, grâce à elle, nous pouvons non seulement mettre en clair un certain nombre de cryptogrammes mais encore remonter à la source de mainte et mainte inspiration.

« Je ne sais si la chose a été dite, mais, à tout hasard, je la signale : il y a une parenté instructive entre l'exégèse de Chassé et quelques curieuses pages de Jules Romains que Chassé d'ailleurs ignorait ou dont il ne se souvenait pas quand je lui en ai parlé sans préciser la référence. Elles se trouvent au chapitre xiv du quatrième livre de la série *Les hommes de bonne volonté*. Le poète Strigelius explique — et le titre le dit — sa méthode de production. Comme celle que Chassé attribue à Mallarmé, elle consiste essentiellement à consulter un dictionnaire (Littré ou autre). Il feuillette le sien. Selon une règle qu'il s'est faite arbitrairement, il confronte le premier mot de la première colonne de gauche avec le septième de la deuxième de droite. Il en éprouve ou n'en éprouve pas la secousse fécondante. Excepté le choix du consultant, l'automatisme est absolu.

« Quel vivant ce Stigelius rappelle-t-il? Mallarmé lui-même. Ou plutôt Valéry? L'exemple donné, *Leçon d'un cénotaphe*, fait penser au *Cimetière marin*. Et ce commentaire : « *Leçon d'un cénotaphe*, un beau titre, hautain, assez clair, un peu mystérieux... Bien dans le style gréco-romain et un tantinet pédantesque qui est le nôtre... Une belle masse de pierre blanche qui est un tombeau. Le soleil méditerranéen. Des cyprès. L'azur. A quelque distance, en contrebas, la mer, etc. » Le pastiche est presque trop évident et la glose ne laisse rien à désirer.

« Il lui arrive de coïncider avec celle de Chassé exactement. Je cite encore (Strigelius vient de retenir le mot *exhaussé*) : « Très bien... La pierre blanche exhausse une merveille... La pierre vide, oui, cénotaphe... exhausse, etc... La pierre vaine exhausse une merveille. Oui, vaine, beaucoup mieux. La saveur étymologique. »

« Nous y sommes : encore ce *vaine* est-il plus accessible à tous que, chez Mallarmé, selon Chassé, *chimère* avec le sens de *chèvre* ou *raille* avec celui de *râcle*. »

FERNAND GREGH

Exprimons toute notre reconnaissance au poète et critique Fernand Gregh qui, il y a seulement quelques mois, était président de la Société des Gens de Lettres et qui a très nettement pris position sur le problème Mallarmé :

« Les découvertes de Charles Chassé — nous a-t-il dit — sont des plus tentantes et beaucoup sont probantes. Il est évident que Mallarmé a souvent voulu

Donner un sens plus pur aux mots de la tribu

et que cette pureté était souvent pour lui celle des origines.

« Je ne vois pas pourquoi « certains milieux de la grande presse littéraire » observeraient une consigne de silence sur ces découvertes. Est-ce qu'il n'y avait pas chez Mallarmé un esprit d'ironie qui se réjouissait des erreurs de certains de ses thuriféraires? On connaît l'anecdote : « C'est la synthèse de l'absolu, Maître? — Non, Monsieur, c'est la description de ma commode. » De ce point de vue, Chassé est le mallarmiste le plus conformiste qui soit. »

RENÉ HUYGHE

Voici l'opinion de René Huyghe, professeur au Collège de France.

« Puisqu'il y a débat et qu'il convient, me dites-vous, d'y prendre position, je dirai seulement qu'en cas d'hésitation, il faut toujours opter pour la vérité. Elle est le plus grand plaisir et le seul devoir de l'historien; et puis pourquoi donc un grand poète serait-il diminué parce qu'on révèle les sources ou les procédés de son inspiration? Ce qui compte, c'est le résultat, c'est-à-dire la poésie. Elle ne peut être modifiée ou atteinte tant que le vers reste intact car c'est là qu'elle réside et non dans les circonstances qui ont pu précéder sa naissance. Pour ma part, je vous félicite et je félicite Charles Chassé qui nous fait mieux comprendre l'homme qui sert de base au poète. »

CHARLES KUNSTLER

Encore un éminent critique d'art : Charles Kunstler, le distingué président de la Presse artistique française.

« Je vous répondrai tout de suite — écrit-il — que Mallarmé ne me paraît pas diminué parce que Charles Chassé nous révèle ses méthodes de travail et les petits secrets de sa création.

« Mallarmé était lié avec les plus grands peintres de son temps et notamment avec Gauguin qu'il admirait... Devant ses harmonies étranges qui suggéraient la nature luxuriante, le soleil et l'air embrasé des Tropiques, dans cet éblouissement plein de douceur, Mallarmé disait un jour, au grand artiste : « Il est extraordinaire qu'on puisse mettre tant de mystère dans tant d'éclat. »

« Ce mot, on pourrait le répéter à propos de Mallarmé lui-même et de sa poésie dont le « mystère » a pour nous tant de charme. On peut étudier la palette de Gauguin, connaître ses procédés, ses méthodes; on peut parvenir à comprendre comment l'auteur du *Christ Jaune* et du *Cheval blanc* est arrivé à exprimer les visions qui peuplaient son imagination. Mais personne n'a jamais prétendu nous montrer le foyer même de son génie.

« Expliquer l'art de Mallarmé, comme l'a fait avec tant de bonheur Charles Chassé, ce n'est point troubler l'eau vive sur laquelle le grand écrivain s'est penché, ce n'est point tarir la source où il a « bu la poésie ». Et dire que « les intérêts de la poésie » doivent « prendre le pas sur les intérêts de la vérité » me paraît être une formule destinée tout au plus à masquer le désarroi d'exégètes à courte vue qui avaient fondé tout un système sur l'obscurité de Mallarmé.

« Or voilà qu'un esprit subtil et curieux entre tous, un logicien sans complaisance, un chercheur patient et obstiné doué d'une pénétration à laquelle il faut bien rendre hommage, voilà que le professeur Charles Chassé vient de réduire à néant cette légende. Obscur, Mallarmé ne le fut vraiment que parce qu'il était inexpliqué ou mal expliqué. La « clé » de son langage se trouve dans le dictionnaire de Littré. Grand écrivain classique, Mallarmé emploie, le plus souvent, les mots dans leur signification originelle, avec toute leur fraîcheur et leur saveur premières. Ainsi donc, loin d'opposer fâcheusement poésie et vérité, la découverte de Charles Chassé les rapproche, les unit de telle sorte que les poèmes de Mallarmé en sont comme rajeunis... »

PHILÉAS LEBESGUE

Le savant linguiste et poète Philéas Lebesgue s'exprime ainsi :

« Je n'ai connu qu'assez tard l'œuvre de Mallarmé et je comprends aisément que de patients lecteurs se soient évertués à en extraire la « substantificque moelle » mais mon genre de vie, rendu obligatoire par les circonstances ne pouvait faire de moi un disciple de l'obscurisme en poésie et je m'empresse de dire bien haut que l'ingénieuse et claire exégèse de M. Charles Chassé est venue rendre un immense service à tous ceux qui, comme moi, se laissent bercer par la magie incantatoire de certains vers du

Maître, sans chercher à en approfondir le sens précis.
Tout bien pesé, je pense que la tentative de Mallarmé
nous conduit tout droit à une impasse. La Poésie est faite
pour rayonner à travers le peuple. Elle doit palpiter aux
moindres frissons de la Vie universelle et, à ce titre, il
eût mieux valu que le grammairien et philologue Mallarmé
n'eût point connu Littré. Il se fût borné à montrer que
les ressources musicales de la langue française étaient encore
imparfaitement exploitées en poésie, et la voie ainsi ouverte
par ses soins eût été merveilleusement féconde.

« Avant d'avoir lu Mallarmé et lorsque je composais,
dans les toutes premières années du siècle, *l'Au delà des
Grammaires*, il m'est arrivé de me rencontrer avec Mallarmé, sans le savoir, dans mes investigations sur la magie
naturelle des consonnes et sur la qualité expressive des
voyelles. Je voulais ainsi jeter ou préciser les bases du
Musicisme verbal, scientifiquement conçues si l'on peut dire.
A cette date, je ne me risquai point dans la sémantique qui
comporte tant de mystères. En cherchant le sens initial
des mots, Mallarmé poursuivit un grand rêve, sans portée
pratique, à mon humble avis. Pour moi, j'obliquai délibérément dans un sens opposé et, très modestement, sans
négliger l'orchestration du poème, je me suis contenté de
rester clair et spontané, au milieu des arbres, des fleurs et
des oiseaux, hors de tous les dictionnaires. Toutefois, il
faut reconnaître que l'hermétisme de ses vers a prodigieuse-
ment servi la gloire de Mallarmé. Il a inauguré une époque :
M. Chassé nous révèle à l'aide de quel patient travail et de
quels artifices, et je ne trouve point que cette révélation
diminue Mallarmé qui reste très grand. »

ABEL LEFRANC

Abel Lefranc, professeur honoraire au Collège de France
et à qui nous devons de connaître le sens profond de toute
l'œuvre de Rabelais nous a écrit :

« Comme vous le pensez avec raison, l'article de mon ami
Charles Chassé « La clé de Mallarmé chez Littré » m'a
vivement intéressé. Sa démonstration appuyée sur des

textes, des variantes et des gloses de Mallarmé lui-même, me paraît convaincante. Je ne doute pas que ce savant exposé ne triomphe bientôt. Il faut au reste en pareille matière toujours compter sur le Temps qui est, comme le dit un proverbe italien dont j'ai souvent constaté la vérité « galant homme ». « *Veritas filia Temporis* », disait-on autrefois. »

ROBERT REY

Voici maintenant une communication de Robert Rey, professeur à l'Ecole des Beaux-Arts, un des critiques les mieux documentés sur la période symboliste :

« Ce qu'on invoque, pour bloquer les études de Charles Chassé et les découvertes qui en résultent, ce sont des arguments qui s'apparentent à ce qu'on appelle « la Raison d'Etat ».

« Or, la raison d'Etat est le type même de la mauvaise raison. C'est la raison de ceux qui, en fait de raison, n'ont que celle du plus fort. Ils se font illusion d'ailleurs car la vérité n'aime pas l'humidité du puits et finit toujours par en sortir. Elle s'y ennuie trop. Et la confusion est, en fin de compte, pour ceux qui prétendaient l'y murer.

« Quand il s'agit d'un authentique grand esprit (comme le fut Mallarmé), ce n'est point lui nuire que de montrer les clefs au moyen desquelles il pénétra dans l'éden de sa poésie. Que craint-on? Qu'un autre s'empare de ce trousseau? Et après? Qu'en fera-t-il, si les dieux n'ont pas fait pousser en lui le rameau d'or de Virgile?

« Il faut être bien pharisien pour penser que Charles Chassé a diminué Mallarmé en recueillant les inquiétudes du poète et même les pauvres transes d'une délectation parfois solitaire. En ce qui me concerne — et je ne suis certainement pas le seul à éprouver ce sentiment — Charles Chassé me l'a rendu plus humain. Les faiblesses dans lesquelles il s'avère un malheureux mortel comme nous le sommes tous (allons, bas les masques et un peu d'humilité, messieurs!) fait éclater plus mystérieusement, plus splendidement encore le contraste entre notre misérable condition de bipèdes et le pur rayon de poésie qui, cependant, émanait de lui et cela de par l'adorablement inexplicable volonté d'Apollon.

Soyons tous petits devant ces insondables caprices d'en haut. Le *vase d'élection* peut être un pot de chambre, s'il plaît aux dieux. Et je trouve qu'il est bien téméraire de consentir seulement à cueillir les ineffables fleurs qu'ils y font éclore tout en nous voilant pudiquement la face afin d'ignorer le point de départ de leur tige.

Charles Chassé n'a pas desservi Mallarmé, au contraire. Nous sommes tous, d'une manière ou d'une autre, des imbéciles, de malheureux petits roublards, des saligauds.

« Seulement, nous ne sommes pas tous des Mallarmé ou des Baudelaires.

Ma tendresse pour Mallarmé augmente aujourd'hui que je puis lui dire : « Je t'*apporte* non plus seulement l'admiration que je te dois pour toute la surnaturelle harmonie que tu exhales. Je t'*apporte* encore désormais le fraternel amour qui unit deux prisonniers condamnés aux mêmes fanges; maintenant que je sais que tu ne repousseras pas le cœur que je te tends entre mes mains souillées. »

ANDRÉ ROUVEYRE

L'opinion d'André Rouveyre, un des principaux rédacteurs du vieux *Mercure de France* est de la plus haute importance :

« J'ai été intéressé par les diverses trouvailles et démonstrations de Charles Chassé au point que, sans le connaître personnellement je m'étais permis de lui écrire, de lui exprimer le très grand plaisir que j'avais eu à la lecture de ses exégèses que le cher Remy de Gourmont aurait lues, lirait, hélas, avec tant de contentement lui aussi aujourd'hui. Charles Chassé a vraiment trouvé la « clef » positive qui va directement dans la serrure et ouvre. Et c'est un ravissement pour moi par exemple qui, dans ma jeunesse, avais tout un temps interrogé avec entêtement les poésies de Mallarmé et sans pouvoir m'y prendre, m'y rendre tout à fait. Tant de joie y trouvais-je mais avec une sourde impression qu'il y avait davantage à en recevoir et dans l'ordre solide de leur matière elle-même, de leur substance fondamentale. Chassé, lui, a trouvé cet appui à nos spéculations en rapport avec les poèmes et en nous permettant dorénavant d'y satisfaire notre intelligence, notre goût de la langue et de ses pouvoirs d'origine... Nous pouvons dès lors enfin pénétrer le prestige qui non seulement n'en est pas amoindri mais s'en trouve augmenté.

« ...L'ostracisme, le silence, ce sont les procédés accoutumés de la médiocrité industrielle contre les ouvrages originaux... La chute à plat aujourd'hui d'un très secondaire Valéry montre que les jeunes gens savent ce qu'ils veulent et ce qui convient au redressement de l'intelligence et de la libre critique... »

ANDRÉ SPIRE

Ç'a été une grande joie pour nous que de recueillir le jugement du poète André Spire qui a bien connu quelques écrivains de l'époque symboliste.

« Que vous m'avez persuadé! — écrit-il directement à Charles Chassé. Votre démonstration si ingénieuse, si fine et appuyée de preuves irréfutables emporte la conviction; vous me faites comprendre des problèmes que je croyais insolubles.

« Depuis des années, j'avais cessé de lire Mallarmé. Cela me mettait dans un état de tension physique qui me donnait — littéralement — des douleurs analogues à la fausse angine de poitrine. J'ai essayé de m'en confesser dans quelques pages de mon livre *Plaisir poétique et plaisir musculaire* (pp. 283 et sq.).

« Maintenant, je vais pouvoir aborder Mallarmé, ce à quoi n'avaient pas réussi à m'entraîner les ausculteurs de rébus dont les gloses étourdissantes m'avaient paru vaines au temps où je commençais d'écrire.

« Vous avez vaincu le Sphinx, cher Monsieur, (que je n'avais pas pu deviner sous l'hydre) et vous avez envoyé une pluie bienfaisante rafraîchir la terre desséchée de la littérature post-mallarméenne. »

MARCEL SAUVAGE

Voici à présent l'avis du critique et poète Marcel Sauvage :

« J'ai lu avec beaucoup d'intérêt l'étude que M. Charles Chassé a publiée dans *Quo Vadis* : « La clé de Mallarmé est chez Littré ». Son autorité me paraît incontestable.

« Aucune explication d'ailleurs ne peut tuer les charmes secrets de la poésie, en couper le courant à travers les mots quels qu'ils soient et de quelque façon qu'ils soient utilisés. Encore moins, me semble-t-il, quand il s'agit d'une explication pertinente *en vérité*, par suite heureuse comme celle de notre confrère. Je souscris donc volontiers à ce lever de rideau...

« Mais la poésie, sa meilleure part du moins, son véritable mystère, sa puissance de suggestion est dans l'au-delà des signes, du témoignage analytique des signes. A ce titre, je ne crois pas que M. Charles Chassé nous ait donné « la » clé de Mallarmé mais « une » de ses clés. Nous savions déjà qu'il fallait entendre Mallarmé sur plusieurs plans, qu'il était sensible aux nuances comme aux divergences des étymologies, attentif à leurs jeux d'ondes ou d'échos et qu'il se voulait enfin un langage sinon toujours plus pur, du moins d'une richesse à la fois plus lointaine, plus dépouillée, plus impérieuse...

« M. Charles Chassé apporte une conclusion à de multiples recherches dans une certaine ligne au long de laquelle on tâtonnait jusqu'à maintenant. Nul doute qu'il ne facilite la compréhension du texte mallarméen, lequel au demeurant ne saurait perdre aux lumières d'une explication ni l'agencement verbal des surprises ni la magie prévue de ses éclats. »

VAN DER MEERSCH

De la Maison dans la Dune, au Touquet, le romancier Van der Meersch nous a envoyé ce mot auquel sa fascinante personnalité et sa passion pour la vérité donnent une très remarquable portée :

« L'article de M. Chassé m'a intéressé au plus haut point. J'ai l'impression qu'il a découvert la clé. Je souhaiterais vivement qu'il publiât d'autres exemples et quelques commentaires explicatifs qui achèveraient la démonstration. Je ne vois personnellement aucune raison de ne pas diffuser une révélation aussi intéressante. »

R. L. WAGNER

Signalons l'avis du grammairien R. L. Wagner, professeur à la Faculté des Lettres de Paris.

« J'ai lu avec beaucoup d'intérêt et de sympathie l'article de M. Charles Chassé *La clé de Mallarmé est chez Littré*. Ce n'est pas la première fois d'ailleurs que j'accorde mon assentiment aux recherches et aux découvertes de cet avisé et spirituel découvreur de secrets.

« Quant au problème que vous posez, voici comment, pour mon compte, je le vois :

« Poésie est mystère, poésie est sortilège. Comme l'enfant comprend quelquefois qu'il perdrait un bonheur en démontant un jouet merveilleux, comme certains amoureux du théâtre et du cinéma refusent de mettre le pied dans les coulisses ou dans un studio, on peut vouloir éluder tous les problèmes que pose la genèse d'un poème.

« Il est d'autres esprits que la curiosité à l'égard des *techniques,* c'est-à-dire ici à l'égard de l'utilisation que le poète tire des mots et de la grammaire, animera toujours. Ceux de cette espèce n'accepteraient point d'expliquer, de commenter des poèmes de Mallarmé, sans avoir au préalable scruté leur sens (je ne dis pas leur *signification* qui, à mes yeux, désigne autre chose).

« Les travaux de Ch. Chassé leur apportent des faits et des interprétations, me semble-t-il, irréfutables. Il fallait que cet article parût. Vous avez eu raison de le publier et je lui souhaite la diffusion qu'il mérite. »

ANDRÉ BILLY

Rappelons enfin, que dans un article du *Figaro Littéraire* du 2 septembre 1950 et où, relatant un voyage en Bretagne, il regrettait incidemment de n'avoir pu y rencontrer Charles Chassé qui s'y trouvait en même temps que lui, André Billy, de l'*Académie Goncourt*, a déclaré :

« ...Nous aurions causé surtout de Mallarmé à l'explication de qui on sait qu'il s'est voué, non sans succès. Il n'est plus douteux que la clef de Mallarmé soit dans Littré, comme n'est plus douteux l'érotisme caché du poète. »

J'ajouterai à ces témoignages que, dans ses conversations à la radio avec Mallet, Léautaud m'a énergiquement soutenu. A la Sorbonne, plusieurs professeurs s'appuyèrent sur mes articles au cours de soutenances de thèses; D. Mornet insista pour qu'une bibliographie de mes recherches fût publiée par la *Revue d'Histoire Littéraire;* Jean Pommier voulut bien signaler une de mes études dans son cours du Collège de France. En Amérique, l'Université de Wisconsin a mis la bibliographie de la *Revue d'Histoire Littéraire* au programme de deux de ses cours. En Amérique aussi les professeurs Feuillerat et Bandy mentionnèrent dans des revues la nouveauté des faits que j'avais apportés. Si la N. R. F., dans son ensemble, se montra silencieusement hostile parce que mes découvertes étaient, paraît-il, irrespectueuses pour Mallarmé, Jean Paulhan admit que mes déductions sur l'influence de Littré lui paraissaient irréfutables. Quand, en 1947, j'avais publié aux Editions de la Nouvelle Revue Critique mon petit livre *Lueurs sur Mallarmé* où, pourtant, je ne disposais encore que de bien peu d'exemples, la *Tribune de Genève* avait affirmé que ce n'étaient pas des « lueurs » mais que j'avais braqué sur l'œuvre du poète d'éblouissants projecteurs. A la demande de Pierre Grosclaude, j'ai été invité à présenter mes trouvailles devant la Société des Poètes français. Dans *Combat*, Gaëtan Sanvoisin, après une conférence contradictoire à une réunion du *Poisson d'or*, a pressé le parti des Silencieux de réfuter mon argumentation, leur faisant valoir que leurs réticences équivalaient à une approbation. Je tiens ici à remercier très sincèrement tous ceux qui, connus ou inconnus de moi (et je n'oublie ni Gabriel Reuillart ni Guy Lavaud ni Jacques Bourgeat), ont revendiqué pour la critique le droit de s'exprimer librement, même si les résultats

auxquels elle est parvenue, mettent en péril des situations
considérées comme acquises. Je ne voudrais pas oublier
de déclarer que, peu avant sa mort, un des premiers à me
féliciter de mes recherches a été G. Jean-Aubry qui m'a
écrit qu'il s'était toujours, pour sa part, refusé à considérer
l'étude des poèmes de Mallarmé comme une entreprise
d'« hagiographie ».

Chapitre VIII

CONCLUSION

Tels sont les documents que j'ai réunis jusqu'à présent sur Mallarmé; telles sont aussi les impressions laissées sur l'esprit de ceux qui en ont eu connaissance. Chez les uns, ceux qui n'étaient pas prisonniers d'idées préconçues, approbation à peu près entière; chez les autres, silence hostile mais, assez étrangement, aucune objection, probablement parce qu'il était difficile de formuler des arguments détruisant les faits que j'avais assemblés en toute objectivité; mécontentement très compréhensible de gens brusquement réveillés de leur rêve et obligés de se confesser qu'il existait une clé de Mallarmé alors qu'ils étaient convaincus que, suivant la phrase du Dr Bonniot : « on n'explique pas Mallarmé; on le sent et on l'aime ». La seule contradiction valable, si l'on peut dire, qui ait été dressée contre moi, c'est le cri d'Henry Charpentier : « C'est vrai mais il ne faut pas le dire. » Mais alors, ce n'est pas contre mes arguments qu'on entre en lutte, c'est contre le concept de vérité.

Ce qui est piquant, c'est que justement les hommes à qui je dois le plus de reconnaissance (et cette reconnaissance, je n'ai jamais cessé de la proclamer pendant qu'ils organisaient, eux, un silence obstiné autour de mes recherches), ce sont mes adversaires puisqu'ils ont (ce que Mallarmé avait nettement interdit) collectionné et publié, par ferveur mallarméenne, toutes les variantes de poèmes et tous les écrits en clair de leur maître. C'est à eux que Mallarmé pourrait renvoyer la formule : « Il ne fallait pas le dire. »

Sans eux, je n'aurais rien découvert; j'aurais seulement soupçonné. Quel paradoxe! Mallarmé aurait souhaité être assez riche, je l'ai rappelé, pour charger quelqu'un d'errer dans l'univers à la poursuite de toutes les lignes, rédigées par lui, auxquelles il n'avait pas donné l'imprimatur. Or ce qui s'est passé et qu'il n'aurait jamais supposé, c'est que ses disciples (auxquels je donne entièrement raison, du point de vue supérieur de la littérature) se sont, et le Dr Bonniot tout le premier, fixé une conception de leur devoir entièrement différente de celle que le poète leur avait tracée. Comme ils possédaient des ressources financières suffisantes pour se livrer efficacement à la récupération des textes mallarméens éparpillés dans le monde, ils ont fait une ample cueillette. Mais, au lieu que ce fût pour anéantir tous ces écrits, ils ont fait, par bonheur, bénéficier tous les lettrés de leur activité, tout en continuant à se persuader que le péché contre le Saint-Esprit, c'était de vouloir élucider ce qui devait rester un délicieux mystère.

J'ai, quant à moi, conscience, et sans éprouver le moindre remords, d'avoir, à force de curiosité, aidé les lecteurs de Mallarmé à pénétrer plus profondément dans l'esprit et l'âme du poète que s'ils l'avaient honoré d'un culte irréfléchi. Après avoir parcouru ceci, je suis convaincu qu'on saisira beaucoup plus fortement le pathétique de la lettre adressée par le poète à sa femme et à sa fille, la veille de sa mort, en les invitant à brûler toutes ses notes. « Il n'y a pas là d'héritage littéraire, mes pauvres enfants. Ne soumettez même pas à l'appréciation de quelqu'un ou refusez toute ingérence curieuse ou amicale. Dites qu'on n'y distinguerait rien, c'est vrai du reste, et vous, mes pauvres prostrées, les seuls êtres au monde capables à ce point de respecter toute une vie d'artiste sincère, croyez que ce devait être très beau. »

Cette notion d'échec subi, cette sensation que, après les gigantesques projets conçus par lui au temps d'*Hérodiade,* sa vie s'était enlisée dans un sable sillonné d'étroits chenaux où étincellent tant de petits « vers de circonstance », tout cela bouillonnait tristement dans le cœur de Mallarmé; cette tristesse, la critique se doit de la partager avec lui et d'en déchiffrer les motifs. Pourquoi Mallarmé serait-il le seul écrivain qu'il ne fût pas permis de scruter en toute liberté, étant donné qu'il a accepté de soumettre ses œuvres au public?

J'ai sûrement commis bien des erreurs de détail dans mes interprétations; j'ai, chemin faisant, révisé plusieurs de mes hypothèses; je compte sur mes lecteurs pour en rectifier d'autres car un individu ne peut, à lui seul, expliquer un auteur aussi multiple que Mallarmé; il faudra bien des équipes pour venir à bout de pareille entreprise si tant est qu'elle soit entièrement possible. Mais l'absurde serait, par paresse ou par snobisme, de se refuser à tout effort de compréhension. C'est précisément quand un écrivain est de qualité qu'il mérite qu'on s'applique à déterminer ce qui, en lui, est périssable et ce qui a des chances de demeurer; la plus grande marque de respect dont nous puissions faire preuve à son égard, c'est de tenter de repenser après lui son œuvre. L'idéal, ainsi que l'a écrit jadis Lanson, c'est « de ne pas sentir où on peut comprendre, ne pas deviner où l'on peut savoir ». Quand ils auront appliqué loyalement cette maxime, les admirateurs du poète ne manqueront pas encore d'occasions leur permettant de déployer leurs facultés de sensibilité et de divination.

Ce n'est pas diminuer Mallarmé que de s'attacher à délimiter ce qui, dans ses ouvrages, tient aux modes de son époque comme à ses défaillances personnelles et d'autre part les éléments nouveaux de beauté dont il a fait don à notre littérature; c'est au contraire chercher à sauver de lui ce qui mérite d'être sauvé afin que le meilleur du poète arrive à la postérité.

Tel qu'en lui-même enfin l'éternité le change.

DEUXIÈME PARTIE

TRADUCTION EN CLAIR DES POÈMES
DE LA PÉRIODE HERMÉTIQUE
DE MALLARMÉ

UN POÈME « D'HERMÉTISME MITIGÉ » :
QUAND L'OMBRE MENAÇA DE LA FATALE LOI...

Voici un poème qui ne paraît pas avoir subi l'influence de Littré. Il a paru pour la première fois en 1883 mais Mallarmé a écrit alors à Charles Morice qu'il s'agissait de vers « anciens ».

« Tout indique — dit Mme Noulet — qu'il fut écrit probablement dans un temps assez proche (peu avant ou peu après) du *Toast funèbre* qui parut en 1873. Il est, dit Mme Noulet, d'un hermétisme mitigé ». Nous le mentionnons pourtant ici parce que nous n'avons pas la preuve absolue qu'il soit antérieur à l'époque dont nous nous occupons. L'idée générale que Mallarmé y développe avec peut-être plus de confusion qu'ailleurs, c'est que l'œuvre du poète survivra à tous les cataclysmes matériels.

Quand, note-t-il dans le premier quatrain, le poète, craignant la loi universelle de destruction, s'inquiète de savoir s'il ne restera rien après lui de son rêve, un instinct ardent lui affirme que ce rêve lui survivra.

Sans doute — poursuit-il — rien ne restera de toute la pompe qui célèbre la mort d'un roi. Ce n'est là qu'un orgueil « menti », autrement dit : mensongèrement et passagèrement consenti par les éternelles ténèbres.

Mais si nous pouvions de loin contempler la Terre parmi les ténèbres qui l'entourent, nous verrions qu'elle continue à projeter une lumière qui s'accroît avec le temps au lieu de s'affaiblir.

Cette lumière qui s'obstine à briller, quelque sort qui soit destiné aux couches d'atmosphère enveloppant notre planète, c'est « un astre en fête », la splendeur se dégageant de l'œuvre d'un poète, splendeur plus éclatante que la lumière matérielle de ces « feux vils » que sont les étoiles. L'« astre », la lumière par excellence est bien un terme réservé par Mallarmé au poète puisque, dans *Toast funèbre*, il a déjà appliqué ce terme à Théophile Gautier, alors que, comme l'a fait remarquer Mme Noulet, il a refusé de traiter en astres les « feux vils » que sont, pour lui, les étoiles.

Puisque j'ai mentionné ici le nom de Mme Noulet que j'aurai souvent, plus tard, l'occasion de citer, je veux dire tout ce que je dois à ses savantes et objectives exégèses du poète. A Mme Noulet, il a seulement manqué, car elle possède par surcroît, un sentiment poétique extrêmement aigu, de n'avoir pas deviné l'influence de Littré sur Mallarmé, ce qui devait fatalement la conduire çà et là à des erreurs d'interprétation sur les pièces où les mots, contrairement aux termes du présent sonnet, ont une signification qui leur est imposée par leur étymologie.

CHAPITRE X

LA SÉRIE
DES « TOMBEAUX » ET DES « HOMMAGES »

Plusieurs poèmes de Mallarmé ont été composés en hommage à de grands morts. Nous ne traiterons ici qu'incidemment du *Toast funèbre* à Théophile Gautier puisqu'il n'appartient pas à l'époque hermétique. Nous ne parlerons pas non plus pour le moment de « Tout orgueil fume-t-il du soir » qui pourrait être considéré comme un « tombeau de Villiers de Lisle-Adam »; nous l'expliquerons dans le chapitre consacré au thème de la « chambre vide », et nous renverrons à plus tard aussi l'hommage à « Vasco de Gama » que nous classerons comme ressortissant au thème du « navire ». Ce par quoi nous allons commencer c'est par un examen prolongé du *Tombeau d'Edgar Poe* parce que là nous avons la chance de disposer d'une source exceptionnelle de renseignements fournis par Mallarmé lui-même : une traduction littérale en anglais rédigée par le poète à l'usage d'une poétesse américaine.

LE TOMBEAU D'EDGAR POE

On m'a reproché, à propos de mes *Lueurs sur Mallarmé* d'avoir serré de trop près le texte des poèmes de Mallarmé en cherchant à les traduire mot par mot en langage clair. C'est non seulement, paraît-il, un sacrilège mais ce qui, à mon point de vue, serait plus grave : une erreur d'interprétation, la poésie demandant — me dit-on — à être saisie par un brusque effort d'intuition, tout comme, suivant certains livres de cuisine, diverses viandes exigent, elles aussi, d'être « saisies » soudainement par un procédé particulier. J'ai tout au moins présentement cette excuse que, en ce qui concerne le sonnet dont je vais entreprendre le commentaire, Mallarmé qui a, d'ailleurs, défini dans ses *Divagations* le métier de poète comme « l'art vaincu mot par mot » s'est tout le premier livré à un travail analogue à celui dont je me suis rendu coupable. L'éminent critique de la période symboliste, M. W. T. Bandy, professeur de littérature française à l'Université américaine de Wisconsin a bien voulu en effet me signaler une *traduction littérale en anglais (et accompagnée de notes)* du « Tombeau d'Edgar Poe » et composée par Mallarmé en personne à l'intention de Mrs. Sarah Helen Whitman avec qui le poète français avait entretenu une correspondance lorsqu'il préparait sa traduction des poèmes de Poe. Cette Sarah Helen Whitman n'est autre que la fiancée de Poe, la seconde en date des Helens qu'il a célébrées. La traduction littérale en anglais du *Tombeau de Poe* a été publiée en 1916 chez Scribner à New York et en 1917 chez John Lane à Londres par Mrs. Caroline Ticknor dans un volume intitulé *Poe's Helen* et où figurent plusieurs lettres adressées par Mallarmé à Mrs. Whitman ainsi que des lettres de celle-ci. Notons en passant que, sauf la traduction littérale avec notes rédigée en anglais par Mallarmé, le reste de sa correspondance était en français mais le texte que Mrs. Ticknor nous en donne est une traduction en anglais.

Voici comment Mrs. Ticknor présente le document dont nous nous servons ici (p. 268 et 269 du livre de Mrs. Ticknor, édition John Lane), document dont, à ma connaissance, aucun exégète de Mallarmé n'avait encore fait état et qui, même après ma publication dans la *Revue de Littérature comparée* en janvier 1949 est resté inconnu des mallarméens français, les chefs de l'École du Silence n'y ayant jamais fait la moindre allusion. « Quand Mrs. Whitman — déclare Mrs. Ticknor — eut décidé de traduire ce sonnet, Mallarmé, très galamment, accepta, pour l'aider, de lui envoyer une traduction littérale en anglais, rédigée par lui-même, de son poème et c'est là un document bien digne d'être conservé. » L'ouvrage de Mrs. Ticknor, très rare en France, m'a été aimablement prêté par M. André Chevrillon de l'Académie Française qui m'a beaucoup encouragé dans mes recherches.

C'est Mrs. Sarah Helen Whitman qui est l'auteur de la traduction libre en vers anglais du « Tombeau d'Edgar Poe », laquelle a paru dans le volume où Mallarmé a réuni ses traductions des « poèmes de Poe ». Dans le même volume figurait aussi une traduction, beaucoup plus précise celle-là, du « Tombeau d'Edgar Poe » par Mrs. Louise Chandler Moulton (1).

Pour faciliter la lecture du présent chapitre, donnons d'abord le *Tombeau d'Edgar Poe* sous sa forme définitive.

Tel qu'en lui-même enfin l'éternité le change,
Le Poète suscite avec un glaive nu
Son siècle épouvanté de n'avoir pas connu
Que la mort triomphait dans cette voix étrange!

Eux comme un vil sursaut d'hydre oyant jadis l'ange
Donner un sens plus pur aux mots de la tribu
Proclamèrent très haut le sortilège bu
Dans (2) le flot sans honneur de quelque noir mélange.

Du sol et de la nue hostiles, ô grief!
Si notre idée avec ne sculpte un bas-relief
Dont la tombe de Poe éblouissante s'orne,

Calme bloc ici-bas chu d'un désastre obscur,
Que ce granit du moins montre à jamais sa borne
Aux noirs vols du blasphème épars dans le futur.

En voici maintenant la traduction littérale en anglais par Mallarmé :

Such as into himself at last Eternity changes him,
The Poet arouses with a naked (3) hymn

(1) Voir ces deux traductions de Mrs Whitman et Mrs Moulton, (pages 224 et 225 de l'Edition de la Pléiade des *Œuvres complètes* de Mallarmé).
(2) Mallarmé a employé la forme « Chez le flot » dans la version originale. Cf. plus loin.
(3) Cf. note (1) page suivante.

His century overawed not to have known
That death extolled itself in this (2) *strange voice :*

But, in a vile writhing of an hydra, (they) once hearing
the Angel (3)
To give (4) *too pure a meaning to the words of the tribe,*
They (between themselves) thought (by him) the spell
drunk
In the honourless flood of some dark mixture (5).

Of the soil and the ether (which are) enemies, o struggle!
If with it my idea does not carve a bas-relief
Of which Poe's dazzling (6) *tomb be adorned,*

(A) Stern block here fallen from a mysterious disaster,
Let this granite at least show forever their bound
To the old flights of Blasphemy (still) spread in the
future (7).

Et voici les notes en anglais rédigées par Mallarmé lui-même :

(1) naked hymn means when the words take in death their absolute value
(2) this means his own
(3) the Angel means the above said Poet.
(4) to give means giving
(5) in plain prose : charged him with always being drunk
(6) dazzling means with the idea of such a bas-relief
(7) Blasphemy means against Poets, such as the charge of Poe being drunk.

Signalons en passant que, dans cette traduction, l'origine française du traducteur (assez inexpérimenté, comme on sait, en la matière, malgré son titre peu probant, à cette époque, de certifié d'anglais) se manifeste par plusieurs gaucheries, surtout par l'emploi de *to* devant « give » dans le deuxième vers du deuxième quatrain (8).

(8) Mallarmé n'était pas licencié. D'Avignon, le 1ᵉʳ mars 1871, il écrivait à Catulle Mendès qui l'avait pressenti pour une place de traducteur de la maison Hachette : « Je ne connais de l'anglais que les mots employés dans le volume des Poésies de Poe et je les prononce certes bien pour ne pas manquer au vers. Je puis, le dictionnaire et la divination aidant, faire un bon traducteur, surtout de poètes, ce qui est rare; mais je ne crois pas que cela constitue une place dans la maison Hachette. » (Voir Edition Mallarmé de la Pléiade, p. 1529.)

Ce que Mallarmé nous donne là, c'est bien une traduction à sa manière habituelle quand il passait d'une langue à l'autre, c'est-à-dire un « calque » pour employer une de ses expressions favorites. C'est un « calque » par exemple, que sa traduction en français du *Corbeau,* calque qui, à cause même de sa fidélité littérale, ne permet pas de deviner, ainsi que l'a montré Viélé-Griffin dans une étude minutieuse de cette traduction, si Mallarmé a compris ou non le sens véritable du texte anglais ; il est même souvent certain qu'il ne l'a pas compris. C'est le même principe, très prudent, du « calque » qui, dans son manuel scolaire de *Thèmes anglais* le conduit, sans fournir aux élèves d'explications complémentaires, à traduire : *Jack of all trades is of no trade,* par « Jeannot de tous métiers ne l'est d'aucun » ou *The belly hates a long sermon* par « Le ventre hait un long sermon » sans même faire allusion au proverbe français bien connu : « Ventre affamé n'a pas d'oreilles ».

La traduction littérale du *Tombeau d'Edgar Poe* n'étant donc qu'un « calque » ne nous permettra pas d'approfondir le sens de tous les termes figurant dans le poème français ; il me sera nécessaire d'y ajouter quelques commentaires mais sans recourir à la méthode subjective ordinairement appliquée par les mallarméens. J'userai de procédés uniquement objectifs ; c'est-à-dire que je mentionnerai des faits probablement connus de Mallarmé ou bien je rappellerai des citations empruntées à d'autres écrits de Mallarmé, auxquels le public ne se réfère généralement pas.

Et d'abord, dans quelles circonstances Mallarmé a-t-il composé ce poème particulier ?

C'est en 1875 que, sur la recommandation de Swinburne et d'Ingram, Mallarmé fut invité par Mrs. Sarah Sigourney Rice à collaborer au volume d'hommages qu'elle projetait sur l'auteur du *Corbeau.* L'occasion de cette publication était l'érection à Baltimore d'un monument à l'écrivain disparu. Le poème fut demandé trop tard au poète, pour qu'il fût possible de le lire à l'inauguration du monument puisque c'est par une lettre du 4 avril 1876 que Mallarmé accepta l'offre reçue de Mrs. Sarah Sigourney Rice et il parut dans le *Memorial volume* qui, daté de 1877, fut en réalité mis en vente pendant les dernières semaines de 1876 (1).

Cependant la bibliographie adjointe au recueil des *Poésies* de Mallarmé publiées par Deman en 1899 spécifie que « mêlé au cérémonial, il (*le Tombeau de Poe* par Mallarmé) y fut récité en l'érection d'un monument de Poe à Baltimore, un bloc de basalte que l'Amérique appuya sur l'ombre légère, pour sa sécurité qu'elle n'en ressortît jamais (2). » Ce qui reste certain, c'est que, en 1875, le corps de Poe fut transporté sous le monument commémoratif ; jusqu'alors les restes de Poe reposaient non loin de là dans un autre quartier du cimetière.

Le vaste monument élevé en 1875 n'est pas en vérité fait de *basalte*. M. Richard H. Hart, chef du département littéraire de la Bibliothèque publique de Baltimore a eu l'amabilité de m'écrire : « La base du monument est faite de granit ; la partie supérieure du beau marbre blanc (3) que produit notre région. » Mallarmé savait qu'une partie au moins du monument était en granit puisque, dans l'avant-dernier vers du poème, il insiste sur le mot :

Que ce granit du moins montre à jamais sa borne.

Il avait même eu entre les mains une reproduction du monument puisque celui-ci est représenté dans l'édition Deman de 1888.

Le premier quatrain

Pendant que Mallarmé préparait son poème, a-t-il été au courant des pourparlers qui ont précédé la construction de ce monument commémoratif dont il raille le caractère massif (4) ? Quels ont été au juste ces pourparlers ? Y a-t-il

(1) *Edgar Allan Poe*. A Memorial Volume by Sara Sigourney Rice. Baltimore, Turnbull brothers, 1877.

(2) Déjà, en 1888, dans les *Scolies* faisant suite à sa traduction des Poèmes de Poe, chez Deman, on pouvait lire : « Le Sonnet envoyé par le traducteur des Poèmes lors de l'érection à Baltimore du tombeau de Poe et lu en cette solennité sert de frontispice. »

(3) Beau marbre blanc mais qui, malheureusement, s'effrite très rapidement.

(4) Dans un autre passage sur Poe (Edition Mallarmé de la Pléiade, p. 226) il dit encore : « Je ne cesserai d'admirer le pratique moyen dont ces gens incommodés par tant de mystère insoluble, à jamais émanant du

eu un autre projet opposé à celui qui fut adopté et qui n'aurait pas comporté le seul médaillon de Poe comme motif principal d'ornementation? De toute façon, dans son premier texte, Mallarmé, parlant d'« *hymne nu* » rendait ainsi hommage au poème du *Corbeau* plutôt qu'à la personnalité du poète, ce qui n'est pas surprenant puisque, dans toutes ses pièces consacrées à des tombeaux d'écrivains et notamment dans le *Toast funèbre* il développe le thème qu'un homme de génie ne peut espérer pour lui-même l'immortalité; ses œuvres, en revanche, vivront à travers les siècles. « Tel qu'en lui-même enfin l'éternité le change », le poète disparaît derrière son poème qui est une forme épurée de son être.

L'expression (1) d'« hymne nu » dans la première version, allait être remplacée dans toutes les versions ultérieures du sonnet par « glaive nu » qui évoque désormais, pour célébrer le poète, la silhouette symbolique d'un archange, l'épée à la main, et triomphant des démons qui l'ont attaqué. Il est indubitable que cette image de l'archange à l'épée flamboyante qui mit Satan en déroute hantait Mallarmé depuis longtemps, puisque déjà, il l'avait utilisée dans *Le Guignon* où les poètes, cette fois, s'enfuyaient devant

> *un ange très puissant*
> *Debout à l'horizon dans le* NU *de son* GLAIVE

Une variante du même *Guignon* dépeignait un

> *ange très puissant*
> *Qui rougit l'horizon des éclairs de son glaive.*

coin de terre où gisait depuis un quart de siècle la dépouille abandonnée de Poe, ont, sous le couvert d'un inutile et retardataire tombeau, roulé là une pierre immense, informe, lourde, déprécatoire, comme pour bien boucher l'endroit d'où s'exhalerait vers le ciel, ainsi qu'une pestilence, la juste revendication d'une existence de poète par tous interdite. » Pour parler franc, ce bloc informe existe surtout dans l'imagination de Mallarmé; il s'agit d'un tombeau banalement frivole, décoré d'un médaillon du poète et de quelques lyres.

(1) La traduction libre de Mrs Sarah Whitman dit que :

> *The poet's song ascended in a strain*
> *So pure...*

Donc, pour elle, nu signifie « pur ». Dans celle de Mrs Louise Chandler Moulton, l'hymne nu est rendu par « his clear, free tone » son accent clair et libre.

Dans l'esprit de Mallarmé, le terme de glaive n'était d'ailleurs pas si éloigné qu'on le pourrait penser du sens d'éloquence poétique puisque, dans le dictionnaire que Mallarmé consultait sans relâche, Littré donne comme un des sens de glaive « le glaive de la parole, le pouvoir de l'éloquence » avec deux citations, l'une de Villemain : « Ce n'est pas de ma faute si la parole de J.-J. Rousseau, puissante comme le glaive et comme le feu, agitait les âmes de ses contemporains » et ces vers de Lamartine dans les *Harmonies* :

> *D'un autre Sinaï fais flamboyer la cime,*
> *Retrempe au feu du ciel la parole sublime,*
> *Le glaive de l'esprit émoussé par le temps.*

« Susciter », dans le 2ᵉ vers est traduit, et par Mallarmé et par Mrs Louise Charles Moulton, par le verbe « to rouse » exciter, fouailler. C'est le terme qui en anglais, désigne le geste du dompteur piquant, de son épieu, les animaux trop calmes à son gré. Ce mot de « suscite » s'allie très bien à l'idée d'un glaive; aussi me semble-t-il probable, puisque ce « suscite » figure dans la première version, que Mallarmé avait dû, dès lors, songer à l'image de l'archange qui lui était familière. Comment en vint-il à substituer « hymne » à « glaive » puis à rétablir ensuite glaive définitivement, voilà un point qui reste mystérieux.

Au 4ᵉ vers, dans la première version, Mallarmé avait écrit :

> *Que la mort* s'EXALTAIT *dans cette voix étrange.*

Il a, plus tard, remplacé « s'exaltait » par « triomphait ». Il n'y a rien là qui change beaucoup le sens. Mallarmé traduit « s'exaltait » par « extolled itself ». Mrs Louise Chandler Moulton, dans sa traduction, et pour les besoins de la cadence de ses vers rimés, a préféré « praised itself » qui veut dire aussi « se magnifiait » :

> *That Death itself would praise in voice so strange* (1).

_____

(1) Littré donne comme étymologie à exalter : *exaltare,* hausser. Parmi les sens divers d'exalter, Littré enregistre : « rendre plus actif : exalter les propriétés d'un médicament ».

Au total, la signification de ce premier quatrain me paraît être que le poète, maintenant défunt, reproche vivement à ses contemporains de n'avoir pas compris que, si le ton de son message était étrange, c'est que la mort, très proche déjà, vibrait ardemment dans sa voix.

Le deuxième quatrain

C'est encore à Mallarmé lui-même que nous demanderons d'expliquer le deuxième quatrain, mais, pour les deux premiers vers, nous recourrons plus particulièrement aux *Dieux antiques,* le recueil mythologique que Mallarmé a publié en 1880 et qu'en 1877 il disait déjà avoir en chantier (annonce en tête des *Mots anglais*). Ce sont les pages sur Œdipe (1) qui nous fourniront la clé de ces deux vers. Mais il est en même temps indispensable que nos lecteurs, pour admettre l'influence de ces pages, se pénètrent bien de l'idée que Mallarmé, pendant la seconde partie de sa carrière poétique, a toujours cherché, comme il va justement le dire dans ce quatrain, à

Donner un sens plus pur aux mots de la tribu

ce qui, je crois, signifiait strictement pour lui : employer les mots dans un sens absolument étymologique et, si possible, dans le sens étymologique le plus lointain. Ainsi serait-on parvenu à créer une sorte d'idiome international puisqu'il aurait été formé des racines primitives de toutes les langues. Les mots de la tribu, ce sont donc, dans la pensée de Mallarmé, les mots de la langue usuelle et nationale qu'il oppose à ceux de la langue idéale, langue poétique suprême (2). C'est par suite de sa déférence pour l'étymologie que Mallarmé, comme il est indiqué par une note à sa traduction littérale se sert du mot : ange pour désigner le poète, « ange » étant, en grec, le messager et, plus spécialement pour Mallarmé le messager de Dieu ou des dieux. N'était-ce pas de la même façon que

_____

(1) Pp. 1234 à 1238 de l'Edition la Pléiade.
(2) Littré, dans son Dictionnaire, note qu'au Collège des Quatre Nations, les étudiants des divers pays étaient répartis en « tribus ».

Victor Hugo, vers la même époque, considérait le poète comme un messager céleste :

> *Peuples, écoutez le poète,*
> *Écoutez le rêveur sacré.*
> *Dans notre nuit sans lui complète,*
> *Lui seul a le front éclairé.*

Si l'ange est, étymologiquement, le poète, l'« hydre », en suivant aussi l'étymologie, est un monstre né de l'eau. Mais de quelle variété d'hydre peut-il être question dans le cas présent. Et pourquoi l'hydre du poème a-t-elle un « vil sursaut »? (Un vil tressaut, disait le texte primitif et même par suite d'une faute d'impression, un vil tressant, ce qui rendait le vers absolument incompréhensible). L'« hydre » (ce sont les *Dieux Antiques* qui nous en ont apporté la révélation) est le Sphinx. L'« ange » c'est Œdipe et Mallarmé nous fait assister en ces deux vers à la rencontre d'Œdipe et du Sphinx dont le héros déchiffre l'énigme.

Pourquoi Mallarmé a-t-il choisi d'identifier l'hydre au Sphinx? C'est que, dans les *Dieux Antiques* (1), il nous dépeint le Sphinx comme « une créature qui emprisonne la pluie dans les nuages et de cette façon cause une sécheresse... Ne voyez enfin autre chose dans la mort de ce Sphinx que la victoire d'Indra qui tua son ennemi Vintra; et immédiatement apporte la pluie à la terre altérée : une averse se répand sur Thèbes, aussitôt que le Sphinx se précipite de la falaise. » Page 1234 encore, nous lisons dans *Les Dieux antiques* : « Œdipe sauva la cité en expliquant l'obscur énoncé du Sphinx qui se jeta avec un farouche rugissement du haut des falaises; et le sol brûlé fut rafraîchi par une pluie abondante. » Comment ne pas reconnaître le « vil sursaut » de l'« hydre » dans ce farouche rugissement du Sphinx?

Il était bien naturel que Mallarmé songeât comme prototype du poète à Œdipe, le déchiffreur d'énigmes, d'autant qu'Œdipe figure aussi comme le poète par excellence dans un tableau de ce Gustave Moreau qui, dans le domaine pictural, à la même époque, occupe exactement

---

(1) P. 1237, Ed. de la Pléiade.

la même position que Mallarmé dans le domaine littéraire.
Ce tableau est *Œdipe et le Sphinx* où Œdipe et le Sphinx
(ou plutôt la Sphinge) sont représentés comme s'affrontant.
« La sphinge vaincue par l'homme — a écrit à propos de
ce tableau Edouard Schuré — n'a plus qu'à se jeter dans
le gouffre. Ainsi la nature, pénétrée dans la hiérarchie de
ses forces, est vaincue par l'homme qui la résume et la
surpasse en la pensant. Voilà ce que dit l'Œdipe de Moreau
avec la netteté incisive d'un bas-relief antique. » Ajoutons
que Mallarmé a connu les tableaux de Moreau, ne fût-ce
que par Huysmans qui, dans *A rebours,* a parlé en même
temps de Moreau et de Mallarmé, et qui a correspondu
avec Mallarmé au sujet de Moreau (1).

Quant au *Cantique de Saint Jean* par Mallarmé, il
deviendra très clair quand on se sera rendu compte que
c'est une description minutieuse du tableau de Gustave
Moreau : l'*Apparition* où la tête coupée de saint Jean-
Baptiste surgit encerclée d'un halo doré et rayonnant
devant la danseuse qui fixe sur elle des yeux hagards (2).

Les troisième et quatrième vers du quatrain font allusion, comme le signale Mallarmé dans sa note en anglais,
à la réputation qu'avait Poe de puiser son inspiration dans
l'ingurgitation des liqueurs fortes :

Proclamèrent très haut le sortilège bu
Chez le flot sans honneur de quelque noir mélange (3).

« Chez » est ici employé par Mallarmé devant un nom
de chose au lieu d'être placé comme d'ordinaire devant un
nom de personne. (Voir à ce sujet le chapitre de la thèse
de Jacques Schérer : *l'Expression littéraire dans l'œuvre*

(1) Voir correspondance échangée entre Huysmans et Mallarmé, *Comœdia,* 4 sept. 1943.
(2) Dans le texte du *Poe Memorial,* Mallarmé dit :
         Donner un sens plus pur aux mots de la tribu.
Les versions parues dans *Les Poètes Maudits* et dans *Le Décadent* portait :
« Donner un sens *trop* pur ». En 1887, Mallarmé dans les *Poèmes* reviendra
définitivement à *plus* pur. Il est curieux de noter que, dans sa traduction
littérale en anglais, Mallarmé dit « *too pure* ». Quand Mallarmé adoptait
« trop » au lieu de « très » il entendait sans doute : trop pur au gré du
sphinx et des lecteurs grossiers ; ou encore : porté à un extraordinaire et
presque excessif degré de pureté.
(3) Au lieu de « proclamèrent très haut » la première version donnait :
« Tous pensèrent entre eux » ce qui ne change rien au sens général.

de Mallarmé, Droz, 1947, sur l'élasticité de l'emploi des prépositions chez Mallarmé : « Mallarmé — dit-il — use des prépositions dans tous les cas où leur sens, entendu de la façon la plus abstraite et la plus générale, peut l'y autoriser. ») Le « noir mélange » est, à peu près sûrement, du punch (1).

Voici donc la signification du deuxième quatrain dans son ensemble : Mais de même que le sphinx frissonna d'un abject sursaut lorsque jadis il entendit le demi-dieu (Œdipe) déchiffrer sous une forme savante le sens des mots usuels que le monstre lui offrait, tous les contemporains de Poe eurent la bassesse d'attribuer au goût bien connu du poète pour le punch le caractère obscur de ses vers.

Le premier tercet

Du sol et de la nue hostiles, ô grief!
Si notre idée avec ne sculpte un bas-relief
Dont la tombe de Poe éblouissante s'orne...

« Grief » est rendu par « struggle », à la fois dans la traduction anglaise de Mallarmé et dans celle de Mrs Chandler Moulton. Le point délicat est de deviner comment il se fait que « grief » a pris ici le sens de « lutte » alors que, tout au moins en tant que substantif, « grief » n'a jamais eu en français une signification voisine de celle-là. Mais (2) n'oublions pas que, pour Mallarmé, c'est

---

(1) Voir le passage de Mallarmé (p. *226*, Ed. de la Pléiade) sur l'alcoolisme de Poe. « Qui sait — aux deux seules phases extrêmes de sa vie quand il trempa les lèvres dans une coupe mauvaise, vers le commencement et la fin — si l'alcoolique de naissance qui tout le temps qu'il vécut ou accomplit son œuvre si noblement, se garda d'un vice héréditaire et fatal, ne l'accueillit sur le tard, pour combattre à jamais avec l'illusion latente dans le breuvage le vide d'une destinée extraordinaire niée par les circonstances! Comme de bonne heure, victime glorieuse volontaire, il avait demandé à cette même drogue un mal que ce peut être le devoir, pour un homme de contracter, et sa chance unique d'arriver à certaines altitudes spirituelles prescrites mais que la nation dont il est, s'avoue incapable d'atteindre par de légitimes moyens. »

(2) Ce « mais » répond à l'énonciation du fait exprimé dans le premier quatrain que les gens en arrivent aujourd'hui à se rendre vaguement compte de l'extraordinaire valeur du génie de Poe. Le deuxième quatrain oppose à l'état de l'opinion actuelle les idées courantes au temps de Poe.

l'étymologie seule qui compte. Or Littré donne une étymologie commune et au substantif « grief » et à l'adjectif
« grief » maintenant hors d'usage. Cette étymologie est
le latin *gravis*, lourd et par suite pénible, douloureux.
Comme adjectif, nous dit Littré, « grief » signifiait autrefois : « qui pèse sur la personne comme un poids qui
l'accable ». Il donne comme exemple « de grièves peines »
chez Maucroix et aussi dans Bossuet « des jugements témé-
raires, plus griefs qu'on ne pense ». « Non qu'il ne me soit
grief que la terre possède ce qui me fut si cher », écrit
Malherbe. Mallarmé a dû trouver très licite de transformer l'adjectif en substantif et de passer de la notion de
douloureux à celle d'effort, de combat douloureux puisqu'il
avait une étymologie sur laquelle s'appuyer (1).

L'idée développée par Mallarmé dans ce premier tercet
se résume à ceci : Toute la carrière de Poe se ramène,
de son vivant, à une lutte entre la bassesse fangeuse de
ses adversaires et les splendeurs célestes qu'il représente.
(« La nue » est traduite en anglais par « ether » dans la
version anglaise que donne Mallarmé; Mrs Louise Chandler
Moulton traduit par « heaven », le ciel.) Il serait à souhai-
ter, pense Mallarmé, que son imagination arrive, sur ce
thème du conflit entre l'âme céleste de Poe et le climat
terrestre où il a dû vivre (2), à sculpter en vers un bas-
relief digne d'orner le sépulcre de Poe, ainsi devenu
éblouissant de beauté. Mais si — dit Mallarmé — je ne
parviens pas à ce résultat, que, du moins!... (voir la conti-
nuation de la pensée dans le 2ᵉ tercet).

Le deuxième tercet

Calme bloc ici-bas, chu d'un désastre obscur,
Que ce granit du moins montre à jamais sa borne
Aux noirs vols du blasphème épars dans le futur.

---

(1) Naturellement, les apôtres du Silence ont, dans leurs livres et dans
leurs articles, tenu leurs fidèles dans l'ignorance absolue et de cette révélation du sens de « grief » et de l'identification, tant de l' « hydre » que
de l' « ange ».

(2) Dans sa traduction libre, Mrs Whitman décrit Poe comme « alien to
his clime », étranger à l'atmosphère dans laquelle il habite.

Les deux premiers vers du tercet doivent être ainsi construits : « Que ce granit du moins... montre à jamais sa borne » avec, en apposition à « granit » : « calme bloc ici-bas chu d'un désastre obscur ». Nous revenons ici à la question du matériau dont est fait le tombeau de Poe : ce granit que Mallarmé, dans des textes en prose, a aussi appelé « basalte ». De toute façon, pour Mallarmé, c'est une pierre volcanique; ce qui, par une métaphore à la Delille, devient :

> *Calme bloc ici-bas chu d'un désastre obscur.*

Tellement obscur qu'il plaît à Mallarmé, dans ce monument où son œil veut apercevoir un bloc d'une seule pièce, d'y reconnaître un aérolithe. Ainsi la pierre tombale symboliserait à merveille le destin de Poe, ce mage brusquement tombé d'un astre lointain sur notre planète.

Dans *Médaillons et Portraits,* c'est Poe lui-même (1) que Mallarmé comparera à un aérolithe : « Cependant et pour l'avouer, toujours, malgré ma confrontation de daguerréotypes et de gravures, une piété unique telle enjoint de me représenter le jour entre les Esprits, plutôt et de préférence à quelqu'un comme un aérolithe; stellaire, de foudre, projeté des desseins finis, humains, très loin de nous contemporainement à qui il éclata en pierreries d'une couronne pour personne, dans maint siècle d'ici (2). »

Ce dernier tercet doit, à mon avis, s'interpréter ainsi : « Si je ne réussis pas (voir tercet précédent) à bâtir pour mon inspiration poétique le tombeau idéal mérité par Poe, que, du moins ce granit d'un monument aérolithique constitue à jamais un barrage contre les blasphèmes de la postérité, au cas où celle-ci recommencerait à lancer contre l'auteur du *Corbeau* les insultes jadis proférées contre lui par des contemporains! »

---

(1) P. 531, Edition de la Pléiade.
(2) Peut-être que Mallarmé, épris comme il l'était tout comme Victor Hugo, de calembours (cette « fiente de l'esprit qui vole », disait Hugo) a goûté dans le mot « désastre » l'idée que l'origine en serait : désintégration d'un astre. D'autant que Littré donne à désastre comme étymologie : dès, préfixe et le substantif astre, ajoutant, il est vrai, qu'astre a là le sens de bonne fortune.

Telle est, me semble-t-il, la signification du poème composé par celui que Léon Bloy dénommait « l'inintelligible auteur du Tombeau d'Edgar Poe ». Nous avons la chance inespérée de posséder en l'occurrence et une traduction littérale en anglais donnée par Mallarmé, et une traduction quasi littérale de Mrs Moulton qui, probablement, avait consulté Mallarmé avant de fournir la sienne, car elle ne serait pas, sans cela, parvenue à une telle exactitude dans la compréhension du poème. Pour les détails supplémentaires, c'est à des textes de Mallarmé en personne que nous avons demandé de nous éclairer.

Nous nous trouvons ainsi en contact avec une sorte de pierre de Rosette offrant un seul texte présenté en plus d'une langue. Ce qui, jusqu'ici, a empêché de comprendre avec certitude Mallarmé, c'est qu'on ne possédait pas un document de ce genre. Forts de l'aide de Mallarmé, il nous sera désormais loisible de recommencer sur d'autres poèmes un travail semblable à celui-ci. Ce qui nous est très précieux, c'est que Mallarmé a eu recours ici à la méthode juxtalinéaire, celle que beaucoup de mallarméens condamnaient comme irrespectueuse; en quoi ils témoignaient qu'ils n'avaient pas compris la doctrine de leur maître, obscur presque exclusivement par son vocabulaire et par sa syntaxe car sa pensée est le plus souvent assez claire. Comme il disait dans la « prière d'insérer » jointe à ses *Divagations* : « Ce sera aux yeux du public une curiosité de notre temps que de découvrir à quel point un écrivain perspicace et direct acquit une notoriété en contradiction avec ses qualités pour avoir simplement exclu les clichés, trouvé un moule propre à chaque phrase et pratiqué le purisme. »

L'HOMMAGE A VERLAINE

J'ai été très frappé quand j'ai rendu visite au tombeau de Verlaine, au cimetière des Batignolles de constater que c'était un tombeau familial de modèle tout à fait orthodoxe, alors que, dans son poème sur Verlaine, l'imaginatif Mallarmé a transformé, comme il avait fait pour le monument très classique à Edgar Poe, ce tombeau si habituel, en un aérolithe de basalte qu'il jugeait mieux adopté à sa conception du tombeau idéal tel qu'il se le figurait.

Le premier vers du poème :

> *Le noir roc courroucé que la bise le roule...*

c'est en effet le pendant du vers que nous avons noté tout à l'heure dans le tombeau d'Edgar Poe :

> *Calme bloc ici-bas chu d'un désastre obscur.*

sauf que, dans le sonnet sur Verlaine, il décrit l'aérolithe au moment où il se déplace encore dans l'espace avant d'avoir atteint le sol mais la pierre, dans les deux cas, a la même noirceur.

Il est vrai que le calme cimetière des Batignolles que Mallarmé avait eu sous les yeux l'a empêché d'aller jusqu'au bout de sa pensée. Il dit que l'aérolithe de basalte n'a pas, comme il l'eût été logique, constitué la pierre tombale de Verlaine. Il ne s'arrêtera pas dans sa course, pas même (Mallarmé, pour rendre « pas même » emploie l'expression elliptique : « ni ») si de pieuses mains d'admirateurs s'efforçaient de l'y contraindre pour y tailler une effigie de l'infortuné Lélian. J'avoue que les vers du premier quatrain où cette idée se trouve formulée sont restés pour moi indéchiffrables jusqu'à ce que m'étant reporté au Littré, j'y ai découvert à la rubrique : « moule », cette citation imprévue de Rollin qui éclaire la signification du passage où il est dit que l'aérolithe

> *Ne s'arrêtera ni sous de pieuses mains*
> *Tâtant sa ressemblance avec les maux humains*
> *Comme pour en bénir quelque funeste moule.*

« Funeste » est évidemment pris ici comme synonyme de funéraire mais le mot « moule » est déroutant aussi longtemps qu'on n'a pas lu la phrase de Rollin relevée par Littré : « Vitruve parle d'une espèce de pierres qui se trouvent aux environs du lac de Volsène et d'autres endroits d'Italie, lesquelles résistent à la violence du feu et dont on faisait des moules pour jeter diverses sortes d'images. » Voilà un premier exemple, lequel, s'ajoutant à d'autres que nous indiquerons ultérieurement, nous fournit la certitude que Mallarmé ne s'inspirait pas seulement des définitions de Littré, vraiment son oracle, mais aussi des citations encastrées dans les rubriques.

Pour l'exégèse du deuxième quatrain, c'est encore Littré qui va venir à notre secours en nous octroyant une nouvelle interprétation du mot « nubile ». La gloire de Verlaine y est comparée à un « astre » (nous avons déjà vu « astre » pris dans le sens de gloire poétique, au cours du chapitre précédent) « astre » se dérobant sous de « nubiles plis ».

> Cet immatériel deuil opprime de maints
> Nubiles plis l'astre mûri des lendemains

Or, le sens accoutumé de « nubile » est, comme chacun sait (et Mallarmé l'a souvent pris lui-même en ce sens usuel dans ses textes non-hermétiques) prêt pour le mariage puisqu'il a pour origine le verbe latin *nubere,* marier. Mais, dans Littré, tout à côté de ce mot « nubile » apparaît le terme « nubileux » qui a pour étymologie *nubes,* le nuage. Vous pensez bien que, ayant à choisir entre deux interprétations : l'une usuelle et l'autre extrêmement rare, Mallarmé ne pouvait manquer de préférer la seconde, les « nubiles plis » ayant donc, dans le cas présent, la signification de « replis de nuages ». Ce second quatrain insiste sur deux idées : d'abord que, dans ce cimetière campagnard où roucoulent des pigeons, la notion de la mort perd beaucoup de sa tristesse et aussi que l'astre de la gloire verlainienne, si, momentanément, il a peut-être perdu de son intensité lumineuse, « argentera la foule » de son scintillement quand la réputation du défunt aura gagné en maturité.

Les deux tercets répondent aux amis qui, songeant à la disparition brusque de Verlaine dont on dit qu'il vient de partir pour un autre monde, se demandent où, maintenant, il peut être.

> Verlaine? Il est caché parmi l'herbe, Verlaine.

Là, il se dissimule pour rester inaperçu. Thème qu'à propos du même Verlaine, Mallarmé a exprimé en prose quand (Ed. de la Pléiade, p. 510), il nous dit que « le sanglot des vers abandonnés ne suivra jusqu'à ce lieu de discrétion celui qui s'y dissimule pour ne pas offusquer, d'une présence, sa gloire ». Est-il même vraiment mort? Lui si naïf, s'est-il seulement rendu compte qu'il avait trempé ses lèvres dans

> *Un peu profond ruisseau calomnié, la mort.*

« La mort — comme l'avait si bien compris Thibaudet dans son commentaire — est un frêle accident qui à sa pure nature n'a rien changé. »

L'HOMMAGE A WAGNER

Je ne disserterai pas ici longuement sur l'*Hommage à Wagner,* préférant renvoyer le lecteur à l'explication magistrale que L.-J. Austin en a donnée dans la *Revue d'histoire littéraire de la France* (Avril-Juin 1951). Je me contenterai de résumer ses interprétations. La principale difficulté à résoudre était le vers traitant du « tassement du principal pilier ». De l'avis de Gardner Davies, un pilier qui se tasse est un pilier qui se consolide; pour Mauron, le principal pilier c'était le Drame; pour Soula, c'était Mallarmé lui-même. Adolphe Boschot, seul, avait dit : « Ce pilier, si l'on veut lui donner ce nom pourrait bien être V. Hugo » et, de fait, c'était bien de la mort de Victor Hugo qu'il s'agissait (tassement, pour Littré, signifie : affaissement). La démonstration d'Austin est irréfutable parce qu'il s'appuie sur un article de la *Revue Wagnérienne* de Dujardin, cette même revue qui, le 8 janvier 1886, a publié l'Hommage de Mallarmé à Wagner. La pièce de Mallarmé est une transposition en vers d'un article de Dujardin qu'on peut lire dans la *Revue Wagnérienne* du 8 juin 1885 : « Richard Wagner et V. Hugo. » Dujardin y notait cette « coïncidence » que « Victor Hugo vient de mourir le 22 mai, Wagner étant lui, né un 22 mai et Dujardin s'enthousiasmait sur cette idée inattendue qu'il consignait en lettres italiques : *« Richard Wagner naissait à l'heure même où mourait Victor Hugo. »*

Ce document précis une fois découvert, Austin n'a plus de peine, en s'appuyant, tout comme moi, sur Littré, à retrouver tout le fil de la pensée de Mallarmé, à savoir que les conceptions théâtrales de Wagner se sont substituées à celles de Victor Hugo.

Voici comment Austin traduit les diverses parties du poème : le premier quatrain expose la caducité du théâtre en France au moment de l'avènement triomphal de Wagner. « Dans un silence qui est déjà funèbre — dit Austin — une tenture funéraire étend de nombreux plis sur le mobilier que l'affaissement du principal pilier doit faire tomber dans l'oubli. »

Deuxième quatrain : « La poésie, notre art autrefois triomphant, maintenant vieilli, la poésie, mystérieux signes qui s'élèvent innombrables en disséminant un frémissement familier de l'aile de l'inspiration, il faut plutôt la mettre au rancart ! »

Tercets : « Haï par la musique gaie et bruyante qui occupait la scène avant lui, au milieu d'une lumière resplendissante, le dieu R. Wagner a surgi, envahissant le théâtre préparé pour de vaines effigies, au milieu d'une fanfare de trompettes dont le son doré se pâme sur les pages de la partition, le dieu Wagner a surgi, se proclamant roi par une musique triomphale que l'encre même n'arrive pas à réduire au silence mais qui sanglote dans les signes mystérieux de son manuscrit. »

Au moment où j'écris ces lignes, Guy Michaud a la courtoisie de m'envoyer son « Mallarmé : l'homme et l'œuvre » (Hatier-Boivin). Pour lui, il n'y a pas de sens concret de Mallarmé. Presque toutes les interprétations sont valables, à condition qu'elles se superposent; car, suivant lui, toute l'œuvre mallarméenne est faite de « surimpressions ». Au fond, ce qui compte surtout pour Michaud, c'est ce que le lecteur ajoute à l'œuvre et non l'œuvre elle-même. Aussi ai-je le regret de constater qu'il ne cite ni cette trouvaille d'Austin ni la traduction littérale en anglais que le poète a rédigée de son *Tombeau d'Edgar Poe* (mais que l'opinion de Mallarmé en personne a donc peu de poids pour les Mallarméens intégraux!) ni, d'une façon générale, aucun texte permettant de fournir un sens précis à un poème de Mallarmé.

Pourtant une découverte comme celle d'Austin n'est-elle pas cent fois plus importante, reposant comme elle fait, sur des bases irréfutables, que toutes les rêveries, si brillantes soient-elles, des gens pour qui le Beau, ce n'est pas ce que Mallarmé a voulu dire mais ce que, eux, ont imaginé !

L'HOMMAGE A PUVIS DE CHAVANNES

Ce sonnet a été publié pour la première fois en janvier 1895, dans un numéro exceptionnel de *La Plume* consacré à ce peintre.

« Toute aurore », quelque trouble et froide qu'elle soit, si déplaisante qu'elle puisse paraître lorsque les ténèbres de la nuit l'enveloppent encore, nous incite à serrer les poings contre cette incapable à qui était confiée la mission de faire retentir dans l'air les trompettes du soleil ; il n'en reste pas moins que c'est elle qui recèle dans ses flancs l'image par laquelle Puvis a symbolisé le moment qui précède immédiatement l'apparition de l'astre à son lever.

> *Toute aurore même gourde*
> *A crisper un poing obscur*
> *Contre des clairons d'azur*
> *Embouchés par cette sourde*
>
> *Et le pâtre avec la gourde*
> *Jointe au bâton frappant dur*
> *Tant que la source ample sourde.*

Ce que nous montre Puvis, c'est dans l'ombre encore ténébreuse, le pâtre portant sa gourde au côté et tâtant la route de son bâton dans sa marche vers la source.

O Puvis ! tu es pareil à ce pâtre — poursuit Mallarmé dans les deux tercets. — Tu marches vers l'avenir dont tu prévois l'arrivée. Comme le pâtre, tu avances vers une source magique de lumière.

Malgré les apparences, tu n'es jamais seul puisque le Temps t'accompagne ; tu le conduis vers la source où siège la nymphe sans voiles que ton talent lui révèle.

> *De conduire le temps boire*
> *A la nymphe sans linceul*
> *Que lui découvre ta Gloire.*

De l'explication du membre de phrase « sans linceul »,
c'est encore à Littré que nous sommes redevables puisque,
donnant toujours ici « un sens plus pur aux mots de la
tribu », Mallarmé emploie « linceul » dans une signification
qui n'a aucun caractère macabre, *linceul* dans tous les
inventaires du Moyen Age ou de la Renaissance désignant
un drap de lit, un long morceau de toile.

SUR LES BOIS OUBLIÉS

Ce poème qui n'a été publié qu'après la mort de Mallarmé est daté par lui du 2 novembre 1877. Il appartient
donc au début de la période hermétique du poète et
celui-ci n'y applique que partiellement sa doctrine sur
l'emploi des mots dans le sens étymologique.

Dans cette pièce, dédiée par lui à un de ses amis qui
vient de perdre sa femme, il se sert dans la première ligne
du mot : *oublié,* dans le sens étymologique du terme,
considéré par Littré comme venant probablement à l'origine (étymologie extraordinairement douteuse), non pas
d'*obliviscor* mais de *lividus.* Les « bois oubliés quand passe
l'hiver sombre », ce sont les bois rendus livides par le givre.
(Cf. *oubli* et *oublié* pris dans ce sens tant dans *Le Cygne*
que dans « *Surgi de la croupe et du bond* ».)

En revanche, dans le quatrième vers, Mallarmé n'emploie
pas « s'encombre » dans son sens strictement étymologique
qui se rattache à l'idée de matériaux accumulés. Il y montre
en effet le sépulcre « encombré » du « manque seul des
lourds bouquets ». Il ne peut pas y avoir étymologiquement
« encombrement » en cette circonstance puisque le tombeau
ne peut pas être étymologiquement encombré par l'*absence*
de bouquets. Mallarmé s'est référé au sens dérivé, d'ailleurs
indiqué par Littré à la rubrique « encombre ».

« Encombre » — dit Littré — est un « accident fâcheux
qui empêche, qui fait échouer » et il s'appuie sur deux
citations de La Fontaine, celle où Perrette, portant son
pot au lait « prétendait arriver sans encombre à la ville »
et, plus net encore, cet autre passage du fabuliste : « Cependant, devant qu'il fût mort, il arriva nouvel encombre : un
loup parut. »

Dans le premier quatrain, Mallarmé s'adresse au veuf inconsolable qui, au moment où l'hiver arrive, s'afflige, dans sa demeure solitaire, d'être dans l'impossibilité de continuer à placer « de lourds bouquets » dans le caveau qui a été construit pour tous deux. Le veuf souffre de l'obstacle opposé à ses désirs. Or c'est *uniquement* (ainsi doit-on comprendre le mot *seul* ici pris adverbialement) la suppression de ces bouquets par la rigueur de la saison qui va permettre aux deux époux de se revoir.

La morte parle au veuf qui, lorsque minuit sonne vainement ses douze coups regrette, devant son feu, de ne pas recevoir la visite de la disparue, bien qu'il attende jusqu'à ce que le dernier tison se soit éteint dans l'âtre.

La fin de ce poème qui, dans son ensemble, n'est guère hermétique, proclame que le moyen pour l'époux d'attirer chez lui l'Ombre qui lui reste chère, c'est de ne pas surcharger de fleurs une tombe qui, alors, ne pourrait plus être soulevée par la défunte; pour évoquer l'épouse, il suffira à l'homme de répéter à voix basse, pendant tout le soir, le nom de la bien-aimée.

Chapitre XI

LES POÈMES DE LA CHAMBRE VIDE

Le thème de la chambre vide est un de ceux sur lesquels Mallarmé revient le plus volontiers (il est symptomatique de constater le nombre restreint de sujets sur quoi le poète se plaît inlassablement à vaticiner). Elbehnon, dans *Igitur*, erre à travers une salle hallucinante que, par moments, il appelle la Chambre avec un C majuscule. « Et du Minuit demeure la présence en la vision d'une chambre du temps où le mystérieux ameublement arrête un vague frémissement de pensée... cependant que s'immobilise (dans une mouvante limite) la place antérieure de la chute de l'heure en un calme narcotique de *moi* pur longtemps rêvé; mais dont le temps est résolu en des tentures... » Sur la table « la pâleur d'un livre ouvert » près duquel brille « l'étincelle d'or du fermoir héraldique ». Dans cette pièce aussi « scintille le feu pur du diamant de l'horloge ». Comme objet de petite dimension, une « fiole de verre, pureté qui renferme la substance du Néant », autrement dit, une bouteille minuscule de poison qui peut apporter la mort au poète. Aucun bruit, en dehors de celui des heures, sauf « le battement d'ailes absurdes de quelque hôte effrayé de la nuit heurté dans son lourd somme par la clarté et prolongeant sa fuite indéfinie. » Si, pourtant! Un bruit sinistre : le battement du cœur d'Elbehnon. Les meubles n'ont pas de nom. Ils sont « fermés et pleins de leur secret » « tordent leurs chimères dans le vide » et « les rideaux frissonnent invisiblement, inquiets ».

N'oublions pas non plus le miroir où Elbehnon contemple

son « double » sous le contact duquel la glace « se raréfie » jusqu'à ce que le fantôme « se détachât, permanent, de la glace absolument pure, comme pris dans son froid ».

Une caractéristique de cette chambre, c'est son aspect irréel, son « absence d'atmosphère ». Une annexe importante de la chambre, c'est le « corridor » qu'ailleurs Mallarmé appelle le « couloir », et qui conduit à d'étranges « escaliers ». Cette chambre, nous allons la retrouver dans plusieurs poèmes hermétiques de Mallarmé.

SES PURS ONGLES TRÈS HAUT

C'est dans un « salon vide » que se déroule le sonnet qui débute par :

Ses purs ongles très haut dédiant leur onyx,

onyx étant, notons-le, chemin faisant, une agate dont la coloration est analogue à celle des ongles, onyx signifiant « ongle » en grec. Un des ornements de la chambre est ici la lampe qui éclaire la veillée du poète et dont le pied est formé par une statuette de l'Angoisse qui, pour Mallarmé était une image de l'inspiration poétique. Il est minuit (c'est à minuit aussi qu'Elbehnon médite dans sa chambre lugubre) et l'Angoisse, les bras levés vers le ciel soutient au bout de ses doigts

Maint rêve vespéral brûlé par le Phénix
Que ne recueille pas de cinéraire amphore.

Le phénix n'est pas simplement l'oiseau mythologique qui renaît de ses cendres, mais le soleil dont cet oiseau est le symbole. Le phénix a en effet désigné le soleil lui-même avant de devenir l'oiseau de la légende. Car l'étymologie de phénix est : pourpre (la Phénicie est ainsi nommée parce qu'elle est le pays producteur de la pourpre). Dans *les Dieux antiques*, Mallarmé a longtemps insisté et sur cette étymologie de Phénix et sur l'étonnant mystère de la résurrection quotidienne du soleil. Dans les deux vers que nous venons de citer, Mallarmé explique que le soleil levant disperse les rêves de la nuit.

Dans le second quatrain, alors que, dans la chambre

d'*Igitur*, la fiole de poison reposait sur un des « meubles vacants », il est ici stipulé que nul objet n'est resté sur les crédences, même pas un « ptyx ».

Qu'est-ce qu'un ptyx? Quelle sorte de réceptacle figure ce mot bizarre que l'écrivain donne comme rime à Styx et à onyx. La correspondance de Mallarmé à l'époque où il préparait son poème ne pouvait pas être pour nous d'un grand secours puisqu'il affirme à ses amis que le terme n'a pour lui aucune signification exacte et que c'est par suite de la rareté des vocables en yx qu'il a décidé d'introduire à la fin d'un vers ce mot d'une sonorité commode, mot qu'il appréciait probablement parce qu'il rimait encore plus richement avec *Styx* que ne pouvait onyx pourtant si séduisant mais qui ne possédait pas un t avant son y. Mais, à mesure que Mallarmé ciselait davantage cette pièce, le philologue fervent qu'il était n'a certainement pas manqué de vouloir s'assurer d'une étymologie et aussi d'une interprétation susceptible de convenir à ce ptyx de contours imprécis dont Hugo s'était cependant lui aussi servi dans *le Satyre,* en décidant tyranniquement que ce serait un nom de colline :

Sylvain du Ptyx que l'homme appelle Janicule.

Peut-être d'ailleurs qu'au moment même où Mallarmé prétendait tout ignorer du mot qui le charmait, il était, en fait, plus documenté qu'il ne voulait le paraître.

Pendant longtemps, j'ai cru avec Mme Emilie Noulet, — une des exégètes les plus sérieuses de l'écrivain — que Ptyx avait, dans le poème, le sens de coquillage et que par « aboli bibelot d'inanité sonore » il fallait entendre que, dans le coquillage, le poète se plaisait à écouter le bruit de la mer. « Aboli » était cependant un peu gênant car, chez Mallarmé, « aboli » s'applique aux objets ayant cessé d'exister tout au moins sous un certain aspect et le coquillage continuait bien d'exister puisque le poète s'en servait pour aller chercher de l'eau au Styx. De plus, il est assez difficile de transporter de l'eau dans un coquillage. L'argumentation de Mme Noulet était que ptyx, en grec, signifie un pli et qu'un coquillage est, après tout, un organisme replié sur lui-même. Signalons en passant que ptyx se retrouve en composition dans des termes scientifiques

employés par des botanistes ou des paléontologues pour
exprimer l'idée de pli. Il est vraisemblable que Mallarmé,
souhaitant suggérer l'idée d'un récipient a dû songer
d'abord au mot grec relativement mieux connu : « pyx »
qui signifie calice dans le vocabulaire religieux mais que,
épris comme il l'était de rimes très riches ainsi que tous
ses amis parnassiens, il a préféré faire rimer ptyx avec
Styx puisque le *t* supplémentaire ajoutait à la somptuosité
du poème.

Ce qui m'a permis de pénétrer jusqu'au sens profond
du mot ptyx pour Mallarmé, ce n'est pas, comme d'ordinaire, la consultation de Littré mais du Grand Larousse
qui, dans plusieurs autres cas, m'a aidé à comprendre des
passages obscurs du poète. Je n'ai pas, il est vrai, fait cette
trouvaille à la rubrique ptyx, inexistante dans le Grand
Larousse, mais à la rubrique Styx. Pierre Larousse y donne,
en effet, un texte du Grec Pausanias qui rend très clair
le vers :

> *Car le Maître est allé puiser des pleurs au Styx.*

Pausanias, qui s'est rendu sur les bords du Styx, non
pas le Styx infernal mais le Styx réel, lequel a fourni à
la légende son point de départ, a constaté que, sur un
point du parcours de la rivière, là où se produit la « perte
du Styx », l'eau du torrent coule « goutte à goutte » sur
un rocher. C'est là que les pèlerins allaient recueillir les
« pleurs du Styx », considérés comme des émanations du
Néant. Dans un livre intitulé *Sur les pas de Pausanias*,
Sir James Frazer a raconté son propre voyage à « la perte
du Styx », près de laquelle il a relevé une inscription indi-
quant que le roi Othon III avait tenu aussi à voir le Styx
de près.

Mais le texte de Pausanias est plus formel encore; il
nous dit que les eaux du fleuve de la Mort étaient si
corrosives qu'elles détruisaient tous les vases où l'on cherchait à les recueillir; une seule substance résistait à leur
virulence : c'était la corne. Le ptyx, « *seul objet dont le
Néant s'honore* », à ce que nous affirme Mallarmé, ne
pouvait donc qu'être fait de corne.

(A ce propos, puis-je faire remarquer que, musicalement
parlant, le vers de Mallarmé pourrait bien être une rémi-

niscence du vers de Voltaire dans *Zaïre :* « Non, il n'est
rien que Nanine n'honore », lequel figure, comme citation,
dans Littré, à la rubrique : « honorer »?)

J'avoue honnêtement que, selon Pausanias, il s'agissait
de corne empruntée au pied d'un cheval. Mais les poètes
ont toujours eu droit à des licences, et c'est d'une corne
d'animal cornu qu'est fait le ptyx de Mallarmé; ce ptyx
était un bibelot traînant sur une table du salon de l'écrivain; vraisemblablement une corne de bœuf, utilisable
comme récipient et qui, naguère aussi (voilà qui justifie
l'épithète « aboli »), fut sans doute un

> *Aboli   bibelot   d'inanité   sonore.*

c'est-à-dire servit de cor à quelque berger qui s'amusa à
souffler des airs dans ce « creux néant musicien », pour
reprendre une autre expression mallarméenne. Une corne
n'est pas un « pli », il est vrai, mais si « pli » pouvait
conduire à « coquillage », rien ne s'opposait formellement,
non plus, à ce que la forme contournée d'une corne fût
assimilée à la notion de pli.

A la suite de ma publication d'un article sur le Ptyx
dans le *Figaro littéraire* du 30 mai 1953, j'ai reçu une
très intéressante communication de M. Fromilhague, maître
de conférences à la Faculté des Lettres à Toulouse où il
compte consacrer un de ses cours à l'exégèse de Mallarmé.
Dans l'ensemble, M. Fromilhague veut bien accepter mes
interprétations en me faisant cependant remarquer que
phénix n'avait peut-être pas le sens de : soleil dans une
première version, datée de 1868, du poème où le premier
quatrain était ainsi présenté :

> *La nuit approbatrice allume des onyx*
> *De ses ongles au pur Crime lampadophore,*
> *Du Soir aboli par le vespéral Phœnix*
> *De qui la cendre n'a de cinéraire amphore*

« Dans cette première version, il s'agit — dit M. Fromilhague — d'un Phœnix vespéral *qui vient abolir le Soir :*
qualification et action qui ne conviennent pas assurément
au « soleil levant » mais désignent clairement une lampe (1).

(1) Pourquoi, dans ce cas, le terme de « vespéral phœnix » ne s'appli-
querait-il pas au soleil couchant? C. C.

« *Le Crime lampadophore* (porteur de lumière) — poursuit M. Fromilhague — c'est le crime qu'assume la lampe en *abolissant* les ténèbres du Soir. Notons d'ailleurs que nous retrouvons l'idée essentielle chez Mallarmé de la lutte entre la Nuit et la Lumière (ce qui justifie l'apparente outrance de Crime mais il s'agit cette fois d'une lumière artificielle). Lefèbure, dans sa lettre très mallarméenne du 23 février 1867, n'imagine-t-il pas son ami « allumant d'une bougie fatidique *le soleil concentré de la lampe* »? Et le « Phœnix de qui la cendre n'a de cinéraire amphore », c'est évidemment le Phénix qui ne demande point, pour sa cendre, de cinéraire amphore parce qu'il brûle sans laisser de cendre, ce qui convient bien à un éclairage à l'huile (ou au gaz). »

L'hypothèse de M. Fromilhague ne manque pas de poids ; peut-être pourrait-on tout concilier en nous souvenant qu'en 1867, Mallarmé n'était pas encore converti à sa doctrine d'un emploi des mots basé sur l'étymologie, tandis que, en 1887, date de la seconde rédaction, il suivait docilement les injonctions de Littré.

Nous allons le comprendre encore plus nettement si nous établissons un parallèle entre les sens qu'il paraît donner à ptyx dans la première version puis dans la seconde et ceci va me permettre de rendre hommage à la perspicacité de Mme Noulet tout en continuant à combattre son point de vue sur l'interprétation à donner à « ptyx » dans le texte définitif.

M. Fromilhague a fait en effet cette découverte *capitale* que le fascicule S de Larousse (contenant le mot *Styx*) n'a paru qu'en 1873. Il est donc probable que, en 1868, Mallarmé ignorait encore le texte de Pausanias figurant dans le Dictionnaire et qu'il a dû d'abord employer « *ptyx* » dans le sens de coquillage, en songeant aux coquilles dans lesquelles on croit entendre le bruit de la marée montante. La première version du second quatrain était ainsi rédigée :

> *Sur des consoles, en le noir Salon : nul ptyx,*
> *Insolite vaisseau d'inanité sonore,*
> *Car le Maître est allé puiser l'eau du Styx*
> *Avec tous ses objets dont le rêve s'honore.*

Comme on le remarquera, aucune des allusions inspirées par le texte de Pausanias n'apparaît dans cette première version; il ne s'agit ni d'un « *aboli* bibelot » ni d'aller puiser *des pleurs* au Styx ni du « seul objet dont le Néant s'honore ».

Peut-être, comme le suggère M. Fromilhague, Mallarmé, quand il écrivit le mot ptyx dans la première et la deuxième versions du poème eut-il l'esprit traversé par le souvenir de « la fiole » récéleuse de Néant qui se rencontre à plusieurs reprises dans *Igitur*, mais sa sexualité fut, plus vraisemblablement encore attirée par les formes équivoques de la coquille. Mallarmé, dans sa *Négresse*, n'a-t-il pas comparé le sexe féminin à un coquillage :

> *Et dans ses jambes où la visiteuse se couche,*
> *Levant une peau noire ouverte sous le crin*
> *Avance le palais de cette étrange bouche*
> *Pâle et rose comme un coquillage marin.*

« Il n'est pas improbable — ont même dit Maurice Monda et J. A. Aubry — que Verlaine ait pensé à ces vers de *la Négresse* lorsque, dans les *Fêtes galantes*, il a écrit *Le Coquillage,* poème où Lélian, lui aussi érotique et dans les domaines les plus variés, énumère les coquillages qu'il a contemplés avec une de ses compagnes :

> *Dans la grotte où nous nous aimâmes.*
> . . . .
> *Celui-ci contrefait la grâce*
> *De ton oreille et celui-là*
> *Ta nuque rose courte et grasse*
> *Mais un entre autres me troubla.*

Il n'est pas besoin après cela d'être psychanalyste pour supposer que, si Mallarmé aime à orner d'un coquillage son cabinet de travail, c'est que ce « bibelot d'inanité sonore » sera, auprès de lui, un rappel permanent du sexe.

Ce que le ptyx n'est certainement pas, c'est ce qu'a imaginé Paul Claudel, sans, il est vrai, consentir à nous fournir le motif qui l'a poussé à édicter que le ptyx est un de ces flacons qu'on plaçait autrefois dans les chambres d'amis, escorté de quelques morceaux de sucre dans un plateau de verre.

Admettant, comme moi, que le ptyx de la deuxième version est certainement une corne, M. Fromilhague propose cette idée que le ptyx ne serait pas une corne de bœuf comme je l'ai soutenu mais une corne de licorne puisque, dans le premier tercet de la seconde version, des licornes sont peintes sur le cadre de la glace. « Peut-être Mallarmé — dit-il — a-t-il lu dans le *Grand Larousse* à l'article « licorne » : « La corne de cet animal ou du moins ce que l'on a désigné sous ce nom a joui d'une réputation merveilleuse dans l'antiquité et au Moyen Age. Le vin bu dans un vase fait avec cette corne neutralisait l'effet des poisons et des venins. On vendait aussi de l'eau qui avait été versée dans des cornes de licorne. » D'ailleurs, n'est-il pas antérieur à 1873, le « schème » du quatrième épisode d'*Igitur* où le « Cornet » avec lequel le héros lance — déjà — son coup de dés est « la Corne de licorne — d'unicorne » ?

Ce qui m'empêche d'accepter la suggestion de M. Fromilhague, c'est que la corne de licorne est représentée sur les images comme tout à fait droite, ce qui justifiait son emploi comme cornet à dés, mais ne correspond pas à l'étymologie de « ptyx » qui implique une courbure; de plus, la corne de licorne n'était pas utilisée, ainsi que la corne de bœuf, comme instrument de musique; ce ne pouvait être un « *aboli* bibelot *d'inanité sonore* ».

Arrivons maintenant au premier tercet de la version définitive :

> *Mais proche la croisée au nord vacante, un or*
> *Agonise selon peut-être le décor*
> *De licornes ruant du feu contre une nixe*

Ici, c'est Littré qui va nous être d'un grand secours. « Proche la croisée au nord vacante », c'est évidemment : « près de la croisée ouverte sur le nord ». « Selon », c'est étymologiquement : le long de. « Ruer », verbe actif, c'est, dans Littré : lancer, jeter. « Les licornes — dans Larousse — jettent du feu dans des combats contre ces autres êtres légendaires qu'étaient les nixes. »

Me prenant à mon propre piège, M. Fromilhague discute sur le sens d' « agoniser » qui, étymologiquement, impliquerait une lutte, mais il arrive parfois à Mallarmé d'être

infidèle à sa propre doctrine et, par exemple, d'employer
« chimère » tantôt dans son sens étymologique de « chèvre »,
tantôt dans son sens habituel de monstre. Je suis persuadé
que le poète a voulu ici tout simplement parler d'une
lumière d'étoiles qui, avant que celles-ci ne disparaissent,
vient mourir sur le rebord du miroir. A plusieurs reprises,
Mallarmé s'est servi d' « agoniser », comme tout le monde,
dans le sens de mourir. « Agonise mais ne consent » se
retrouvera tout à l'heure dans « Surgi de la croupe et du
bond ». M. Fromilhague (je le lui accorde) se retranche
derrière une phrase de Mallarmé en personne qui, dans une
lettre de juillet 1868 à Henri Cazalis commente la première
version du sonnet; il y trace l'esquisse « en blanc et noir »
d'une chambre où le seul objet précis est « un cadre bel-
liqueux et agonisant du miroir appendu au fond ».
« Agonisant — dit M. Fromilhague — me paraît être un
équivalent, plus précieux, plus poétique aussi, de belli-
queux. » Il y aurait, suivant M. Fromilhague, lutte dans
le miroir entre la lumière des étoiles et le visage féminin
qui s'y reflète.

Mais d'abord, « agoniser » ne figure pas dans la première version du poème, la version à laquelle fait allusion
la lettre. Et puis le sens actif que M. Fromilhague veut
donner à « agonisant » me semble bien compliqué; il voudrait lui donner comme complément direct le mot « elle »
qui commence le tercet final et cela me semble contraire
à la syntaxe mallarméenne.

Venons-en au deuxième tercet :

> *Elle, défunte nue en le miroir, encor*
> *Que, dans l'oubli fermé par le cadre, se fixe*
> *De scintillations sitôt le septuor.*

« Elle », pour moi, c'est simplement le latin « *illa* »,
celle-là, terme qui permet d'établir une liaison commode
entre les deux tercets, Mallarmé ayant coutume de considérer chaque quatrain ou chaque tercet comme un tout,
sans qu'il y ait liaison subtile entre chaque partie du
poème, autrement que par des charnières commodes comme
« elle » ou « celle » (*ecce illa*) quand c'était nécessaire.
« Elle », c'est l'ondine nue, morte sous les flammes vomies
par les licornes. Elle flotte comme Ophélie sur la rivière,

rivière qui s'identifi,e avec la surface unie du miroir. Cette lutte des licornes contre les ondines fait partie des légendes allemandes (et la femme du poète était allemande, ne l'oublions pas). Je me suis, un moment, demandé si Mallarmé qui se sert tantôt de « nue » avec le sens de nuage et tantôt comme féminin de l'adjectif « nu » pris par lui, parfois, substantivement, n'avait pas voulu laisser planer une équivoque sur la nature de l'image indistincte entrevue dans le miroir. Dans « Quelle soie aux baumes de temps », « vive nue » qui semble bien le pendant exact de « défunte nue » désigne le nuage vivant qu'est pour Mallarmé la chevelure féminine. Etait-ce, ici, un nuage qui vient de se dissoudre en une ondine morte et dévêtue? Ce qui me porte à penser que nous avons bien affaire uniquement à une ondine dévêtue, c'est que, dans *Frisson d'hiver* (Ed. de la Pléiade, p. 271), il a écrit : « Et la glace de Venise, profonde comme une froide fontaine, en un rivage de guivres dédorées, qui s'y est miré? Ah! je suis sûr que plus d'une femme a baigné dans cette eau le péché de sa beauté; et peut-être verrais-je un fantôme nu si je regardais longtemps. » Dans le « rivage de guivres dédorées » limitant la « glace de Venise », nous reconnaissons « les licornes » formant « le décor » de l'oubli fermé par le cadre » et dans « le fantôme nu », la « défunte nue ». Notons que c'est très clairement à sa femme que Mallarmé s'adresse dans *Frisson d'hiver* lorsqu'il rappelle ainsi des légendes germaniques.

C'est Littré toujours qui nous fournit l'explication de « l'oubli fermé par le cadre ». Nous avons déjà exposé, dans le chapitre précédent comment Littré donne à « oubli », par delà *obliviscor* le mot *lividus* comme lointaine étymologie possible. L' « oubli fermé par le cadre », c'est la lividité du miroir insérée dans son cadre. C'est dans la lividité du miroir que « le septuor » (les sept étoiles de la Grande Ourse aperçues par la fenêtre) introduit l'éclat de ses lumières. Eclat qui est en même temps une harmonie musicale, le septuor étant dans Littré l'accord que crée la combinaison de sept instruments. Ajoutons que, suivant un passage en prose de Mallarmé, les sept étoiles de la Grande Ourse sont le séjour des sept Sages. « Encor que » signifie : tandis que.

Je n'ai pas la place de noter en ces pages toutes les interprétations du poème que M. Fromilhague superpose aux miennes. Pour lui, par exemple, « livide » peut-être et « oublié » n'ont pas le sens de blême mais d' « obscur » parce que, suivant une définition donnée par Littré à « livide », celui-ci s'appliquerait à une couleur plombée entre le noir et le bleu. La neige, le miroir, pour lui, sont obscurs et non point pâles. J'ai peine à accompagner M. Fromilhague dans tous ces raffinements.

Nous nous sommes en effet, à mesure que nous discutions, aperçu tous deux que si nous pouvions faire ensemble un utile bout de chemin, nous n'avions pas exactement le même but. Je me suis en effet convaincu, surtout après avoir déchiffré les pièces érotiques et scatologiques de Mallarmé que celui-ci pendant sa période hermétique, n'a guère écrit que des œuvres ayant un sens unique et qu'il se conformait aux doctrines du Parnasse, malgré des apparences symbolistes. Pour lui, le présent sonnet, me dit M. Fromilhague, est bien plus qu'une description, bien plus qu'un réceptacle d'impressions et de suggestions, surtout dans la seconde version.

« M. Chassé — écrit-il dans un texte qu'il a bien voulu me confier — nous a dotés, pour pénétrer vers les trésors secrets de Mallarmé, d'une clef qu'on ne saurait négliger sans se priver délibérément d'une importante chance de réussite. Les observations que je viens de faire même quand elles se proposent de modifier ses conclusions, confirment en fin de compte la valeur de sa méthode et si j'ai peut-être fait un pas de plus vers la compréhension de ce sonnet, c'est en profitant de ses acquisitions. Pourtant cette méthode suffit-elle à nous conduire, je ne dis pas au terme des investigations — est-il bien sûr qu'il y ait un terme? — mais à une explication qui rende compte de l'intention suprême du poète et de l'unité de chaque pièce? Peut-on obtenir le sens d'un poème de Mallarmé en résolvant une succession d'énigmes partielles? Qu'il faille d'abord les résoudre, j'en suis convaincu et en cela pleinement d'accord avec M. Chassé. Mais la grande affaire n'est-elle pas de découvrir la signification une et essentielle du texte? »

Ce qui m'a un peu inquiété, au cours de la conversation très cordiale que nous avons eue ensemble, c'est que je me suis demandé si M. Fromilhague n'était pas un mallarméen intégral qui, devant l'évidence, consentait à jeter du lest. Il m'a semblé qu'en dernière analyse, son état d'esprit était très voisin de l'état d'esprit, ouvertement subjectif, d'un Fernand Divoire qui répondait à l'enquête du directeur de *Quo Vadis* par cette lettre que j'avais réservée justement, pour la placer en cet endroit :

« J'avais lu et aussi relu l'étude de Charles Chassé. Les arguments paraissent extrêmement solides... Mais cela m'est égal.

Grâce à Charles Chassé, j'ai eu l'explication de ce que Mallarmé *voulait se dire*. J'ai pu faire l'expérience de me lire une strophe en sachant de quoi, pour lui, il s'agissait ; puis la même, en oubliant le sens précis.

Eh bien! J'aime mieux la deuxième méthode. J'aime mieux ignorer le sens particulier des mots et écouter les mots.

Mais je comprends la patience d'exégète de Charles Chassé. »

M. Formilhague ne désespère pas, au delà du sens précis et parfois déconcertant, d'atteindre un second sens mystique venant recouvrir le premier tandis qu'il me semble bien vain de chercher dans un poème scatologique comme *la Marchande de plantes aromatiques* à laquelle nous arriverons bientôt, un sens éthéré survolant un couplet sur les joies qu'apporte la défécation. Ce qui manque peut-être jusqu'ici à M. Formilhague, c'est d'avoir, pendant autant d'années que moi, scruté l'œuvre de Mallarmé en constatant plus d'une fois que ce qui avait été pris pour une méditation métaphysique n'était qu'un exposé très précis d'un épisode d'ordre physiologique.

Au cours d'une causerie que j'avais été invité à prononcer dans un café du boulevard Saint-Michel devant une société de poètes, *le Poisson d'Or*, un poète présent m'objecta que mes explications dérangeaient ses rêveries et qu'il tenait à laisser sa fantaisie broder sur des textes de Mallarmé que, en conséquence, il souhaitait dénués de précision. Je lui ai rétorqué que son imagination devait être assez vigoureuse pour ne pas avoir ainsi besoin de s'appuyer sur un texte écrit, quel qu'il fût. Pourquoi ne pas s'en tenir, alors, à la page blanche dont Mallarmé a exalté la beauté féconde?

Du poème que nous venons de commenter, Emmanuel des Essarts écrivait, le 13 octobre 1868, à Mallarmé lorsque celui-ci leur envoya le sonnet, sous sa première forme : « Ni Cazalis ni moi ne l'avons pu comprendre. » Je crois que le commentaire ci-dessus le rendra compréhensible à la majorité des lecteurs. Dois-je être blâmé pour cela?

TOUT ORGUEIL FUME-T-IL DU SOIR ?

Voici encore une description de chambre vide; description incompréhensible tant qu'on n'a pas recouru à Littré. Si l'on prend « orgueil » dans sa signification habituelle, le poème n'a aucun sens mais, si l'on sait que, pour Littré, le mot « orgueil » vient d'une racine haute allemande qui veut dire : remarquable, exceptionnel, alors tout le premier quatrain et, par suite, tout le reste de la pièce deviennent accessibles.

En ce qui touche « du soir » dans le premier vers, rappelons-nous que, comme le dit Schérer dans sa thèse sur Mallarmé, la préposition « de » « a, chez le poète, des emplois très étendus ». Ici, « du soir » possède un sens analogue à celui des expressions : « de jour » et « de nuit ». « Est-il possible — se demande Mallarmé — qu'un homme supérieur s'évanouisse en fumée au soir de sa vie? »

Le deuxième vers :

Torche dans un branle étouffée

est une image qui s'applique, en apposition, au personnage supérieur qui vient de disparaître en fumée. (Songeons, à ce propos, au lumineux cigare qui, dans « Toute mon âme résumée », se transforme aussi en ronds fuligineux.) Cette image se comprend aisément dès qu'on adopte pour « branle » son sens ancien de danse. Aux xve et xvie siècles, un des « branles » les plus fameux était la danse des flambeaux, la torche marquant la fin du « branle » par le sursaut de ses derniers éclats. Mallarmé a pu trouver cette allusion au branle de la torche chez Littré où, au mot

Torche, nous relevons cette citation de Brantôme, tirée des *Dames Illustres* : « Je lui ai vu aussi aimer quelquefois le branle de la torche ou du flambeau. »

On remarquera que le terme « branle », au sens de danse, n'est pas tellement ancien mais, et c'est encore un point fort important pour qui ne dédaigne pas de comprendre Mallarmé, le poète se résigne à ne pas retourner à la racine même du mot s'il a la chance de pouvoir se référer à une acception rare car, pour lui, le rare est aussi beau que l'ancien. S'il découvre un terme qui a passé dans le vocabulaire du blason ou de la vénerie ou encore de la danse (puisque la danse est, pour lui, le plus admirable de tous les arts), il n'hésite pas à le retenir pour son usage sous cet aspect.

Les deux derniers vers du premier quatrain sont :

> *Sans que l'immortelle bouffée*
> *Ne puisse à l'abandon surseoir!*

L'« immortelle bouffée », autrement dit : le souffle impérissable, c'est l'âme. Pourquoi Mallarmé n'emploie-t-il pas le mot « âme », en tant que principe opposé à la notion de corps, comme l'aurait fait tout autre écrivain? C'est que Mallarmé a réservé le mot « âme » pour s'en servir dans le sens étymologique de souffle (*anima*, en latin). (Cf. son emploi de « âme » dans le poème *Toute l'âme résumée*.) Après cela, quand il souhaitera exprimer la notion d'« âme », le mot usuel de l'âme lui devient interdit. Le terme d'âme ayant servi à exprimer la notion de souffle, il faudra bien que le souffle, la « bouffée » serve à son tour à désigner l'âme. La question que se pose le poète dans le premier quatrain est la suivante : « Se peut-il que la personne d'un grand homme disparaisse complètement au moment de sa mort et que son âme ne parvienne pas à survivre au désarroi général de l'être? » Peut-être s'étonnera-t-on que la question ne s'achève pas chez Mallarmé sur un point d'interrogation. Mais Mallarmé, pour des raisons esthétiques, n'aimait pas la silhouette disgracieuse de ce signe. Il lui préférait le point d'exclamation qui avait des airs de panache.

Passons maintenant au deuxième quatrain :

La chambre ancienne de l'hoir
De maint riche mais chu trophée
Ne serait pas même chauffée
S'il arrivait par le couloir.

Il me semble bien probable que l'hoir, autrement dit : l'héritier « de maint riche mais chu trophée » était l'ami du poète : Villiers de Lisle-Adam que Mallarmé ne respectait pas seulement pour sa valeur intellectuelle mais pour la renommée de ses lointains ancêtres, car notre écrivain avait toujours rêvé d'être lui-même de descendance aristocratique et de se prévaloir « de maint riche mais chu trophée ». On se souvient comment, étant enfant, il se plaisait déjà à se donner à l'école comme le marquis de Boulainvilliers et il espérait que quelque heureuse bâtardise, inconnue de lui, lui avait permis de ne pas être le descendant des ancêtres sans prestige que lui attribuait l'état civil. Peu importait que Villiers de Lisle-Adam eût logé dans une mansarde délabrée, il y flottait, de par la présence du grand écrivain, le souvenir des héros de l'histoire de France. Dans sa conférence sur Villiers, Mallarmé a dit avec vénération que l'auteur des *Contes Cruels* habitait « à Paris une haute ruine inexistant, avec l'œil sur le coucher héraldique du soleil (nul ne le visita) ». Cet œil ouvert sur le soleil couchant, n'est-ce pas ici la lucarne de ladite mansarde?

Mais, quelle qu'ait été la gloire d'un homme tel que Villiers, le fait demeure, pour Mallarmé, que, l'écrivain une fois mort, rien ne subsiste plus de lui. Même si son fantôme venait à rentrer par le corridor dans l'appartement maintenant désert, ce fantôme serait si glacé qu'il ne réussirait pas à réchauffer l'atmosphère de la chambre vide. Ce couloir, passage entre la vie et la mort, c'est celui que nous avons déjà vu, à l'entrée de la chambre d'*Igitur* et auquel il est encore fait allusion dans le *Toast funèbre* à Théophile Gautier où Mallarmé avoue ne pas ajouter foi au « magique espoir du corridor », autrement dit à un débouché de notre existence terrestre sur un autre monde. J'ai souvent pensé à ce « magique espoir du corridor » dans l'allée principale du Père-Lachaise, devant le Monument aux Morts de Bartholomé où l'on voit la forme nue d'un trépassé s'engager dans un sombre boyau qui, suivant qu'on est croyant ou incrédule, conduit soit à la lumière, soit au Néant.

Les deux tercets du sonnet sont la contrepartie des quatrains; ils expliquent que, si le grand homme est bien voué tout entier à la disparition, son œuvre, en revanche, subsiste à jamais. Ce qui lui survit dans la chambre, c'est la « fulgurante console » qu'il a créée. Cette console a, jusqu'à un certain point, une apparence de tombeau, puisqu'elle est surmontée d'une dalle de marbre autour de laquelle se crispent les griffes en bois doré de l'armature du meuble précieux, griffes qui symbolisent les anciens liens du poète avec la terre :

> *Affres du passé nécessaire*
> *Agrippant comme avec des serres*
> *Le sépulcre de désaveu.*

Sépulcre dont les froids contours sont un emblème du démenti infligé par les lois éternelles à la survivance vainement souhaitée du poète. Le mot : affres a un double sens car, étymologiquement, suivant Littré, il signifie hérissement, ce qui confirme le contraste entre la rugosité tourmentée des arabesques du bois et la rigidité lisse de la dalle marmoréenne qui les surmonte.

Mais ce qui surtout crée la vie du meuble si beau, ce qui fait qu'il continue à étinceler avec somptuosité au milieu des ténèbres absolues de la chambre, c'est la splendeur de l'or dont il est paré. Cet or est le seul feu qui reste encore actif dans la salle.

En somme, le thème d'ensemble développé ici par Mallarmé, c'est le thème parnassien, cher à Gautier qui avait déclaré :

> *Tout passe; l'art robuste*
> *Seul a l'éternité.*
> *Le buste survit à la cité*
> *Et la médaille austère*
> *Que trouve un laboureur*
> > *Sous terre*
> *Survit à l'empereur.*

SURGI DE LA CROUPE ET DU BOND

Autre chambre vide dont le principal ornement est un vase vide sur une table. Voici le premier quatrain :

> *Surgi de la croupe et du bond*
> *D'une verrerie éphémère*
> *Sans fleurir la veillée amère*
> *Le col ignoré s'interrompt.*

Ce que Mallarmé veut dire par là, c'est qu'on a négligé de couronner d'une rose le col d'un vase fait d'un verre fragile et dont la partie inférieure est renflée. Ce col, jaillissant de la croupe nerveuse du vase, aurait logiquement dû s'achever par une rose dont le spectacle aurait égayé la veillée mélancolique du poète. Par suite de la négligence de la maîtresse du lieu ou de la servante, le vase n'est pas complet; il est interrompu. J'emploie, dans cette exégèse, le terme de négliger parce que, pour Mallarmé, ignorer n'est pas le contraire de connaître; il a le sens ancien et particulièrement anglais (ce qui est à prendre en considération puisque Mallarmé était angliciste) de « négliger » (en anglais : *to ignore*). De même, dans *Hérodiade*, un « âge ignoré » signifiait déjà : « une époque que tu dédaignes ».

Le deuxième quatrain est moins clair :

> *Je crois bien que deux bouches n'ont*
> *Bu, ni son amant ni ma mère,*
> *Jamais à la même Chimère,*
> *Moi, sylphe de ce froid plafond.*

Le poète revient ici à une de ses idées favorites : que sa valeur personnelle ne doit rien aux mérites très discutables de ses parents, ces parents, du moins, qui, officiellement, sont inscrits sur les registres comme l'ayant engendré et enfanté. Ici, il se compare à un sylphe muré par les hommes dans « un froid plafond » (encore une réminiscence des traditions occultistes qui admettent que le syplhe puisse être emprisonné dans une pierre). Ailleurs, il s'identifiera à un cygne dont une méchante influence a enfermé les pattes dans la glace d'un lac. Peut-être, cette image d'un sylphe immobilisé dans un plafond lui a-t-elle été dictée par un souvenir des figures énigmatiques, salamandre par exemple, que les architectes de son époque sculptaient volontiers comme motif central dans les plafonds en plâtre. Ce sylphe, emprisonné dans sa geôle terrestre, méprise du haut de sa cellule ceux qui prétendent être ses générateurs, car ceux-là n'ont pas bu comme lui aux sources de la poésie. Peut-être aussi Mallarmé veut-il insinuer que sa pauvreté l'oblige à se confiner dans une pièce étroite, mal chauffée et placée tout au haut de l'immeuble, pièce indigne du génie supérieur qu'elle abrite; de ce génie, Mallarmé parle en prose, presque sous la même forme, au début d'une *Bucolique* (Editions de la Pléiade, p. 401), où il oppose la conception que les gens se font de lui à ses mérites réels. « Le Monsieur plutôt commode que certains observent la coutume d'accueillir par mon nom, à moi esprit là-haut, aux espaces miroitant, force l'égard durant l'audition de doléances. »

Notons que Mallarmé qui, dans sa syntaxe, fait fi de l'ordre logique et qui est surtout guidé dans ses constructions grammaticales par les exigences de la rime, n'écrit pas : « ni ma mère ni son amant » mais bien « ni son amant ni ma mère », le mot d'« amant » lui servant à montrer que, comme la plupart des poètes de son temps, il était partisan de l'amour libre et que le sacrement du mariage, étranger à la poésie, était pour lui sans aucun prestige.

Quant au terme « chimère », rappelons que l'étymologie donnée par Littré à « chimère » est le vocable grec signifiant : la chèvre. Dans le cas présent, Mallarmé songe probablement à la chèvre magique Amalthée qui allaita Jupiter et qui devient ici un symbole de la Poésie dont Mallarmé est un des enfants adoptifs. Indiquons en effet que « boire à » veut certainement dire : « s'allaiter à ». Gautier qui, souvent, servit de modèle à Mallarmé, nous a dépeint les hommes d'autrefois s'allaitant de cette façon à la Chimère qui, pour Gautier, d'ailleurs, est, plutôt qu'Amalthée, le monstre complexe de la plupart des contes :

Ils tettent librement la féconde mamelle.
La Chimère à leur voix s'empresse d'accourir
Et tout l'or du pactole entre leurs doigts ruisselle.

Dans les deux tercets qui achèvent son poème, l'écrivain revient à l'image du vase découronné qu'il avait semblé oublier :

> *Le pur vase d'aucun breuvage*
> *Que l'inexhaustible veuvage*
> *Agonise mais ne consent,*
>
> *Naïf baiser des plus funèbres !*
> *A rien expirer annonçant*
> *Une rose dans les ténèbres*

Le vase est un vase en soi, un vase idéal puisqu'aucun élément étranger ne se mêle à lui. Il ne contient aucun liquide, quel qu'il soit (« aucun », chez Mallarmé, a le même sens vague qu'*any* en anglais, puisque, selon les diverses constructions de la phrase, il peut avoir une signification interrogative, dubitative ou négative). Au lieu de recéler de l'eau, c'est d'un vide inépuisable qu'il se compose, « veuf », tout comme « vain », étant par Mallarmé utilisé dans le sens étymologique de « vide ». (Cf. dans *Remémoration d'Amis belges* le vers :

> *Que se dévêt pli selon pli la pierre veuve*

où il nous montre la pierre inconsistante des quais de Bruges se dissolvant lentement sous l'effet de l'humidité et du temps.) Les contours du vase eux aussi se fondent dans les ténèbres de la nuit ; le vase accepte cette mort progressive plutôt que de consentir à réaliser son destin en faisant de son col jaillir la rose qui aurait dû le surmonter. En révolte, comme l'écrivain, contre l'univers, il n'accepte pas de se livrer à un suprême sursaut qui aurait marqué une acceptation des lois du monde. La rose évoque pour Mallarmé l'idée de la bouche s'ouvrant pour un baiser complet mais ce n'est que le fantôme de ce baiser qui naîtra, la bouche du vase se refusant à le faire intégralement éclore ; elle meurt virginalement en un renoncement tragique.

Francis Jammes a déclaré que « Surgi de la croupe et du bond » est « l'œuvre d'un homme qui commence de perdre conscience dans un fauteuil où il s'est installé pour la sieste et qui ne distingue plus entre ses paupières mi-closes et les parties éclairées d'un vase ». Jusque-là, je suis très bien Francis Jammes et je crois qu'il y a beaucoup de vrai dans ces réflexions, Mallarmé ayant principalement décrit des objets entrevus par lui dans une demi-obscurité. Mais, où je ne le suis plus du tout, c'est quand, faute d'avoir déchiffré, mot à mot, le texte mallarméen (mais il soutenait que « si l'on analyse, la masse à nouveau se fond dans le détail qu'il faudra encore dégager »), Francis Jammes continue : « Et la rose qui surmontait le col, ouverte comme un baiser, ne se révèle plus que par son parfum qui expire. » Je pense avoir démontré plus haut que « le col ignoré s'interrompt » indique justement que le col ne s'achève pas par une fleur. Anatole France regrettait que l'admiration de plusieurs pour Virgile et pour Tite-Live fût basée exclusivement sur quelques contresens. Tant que l'on n'aura pas dégagé la valeur exacte des mots de Mallarmé et tiré au clair la construction de ses phrases, on risquera toujours de le vénérer pour des motifs dont le poète aurait ironiquement souri. Nous avons cette chance que Mallarmé a souvent repris les mêmes thèmes en s'exprimant parfois en clair ou en presque clair; pourquoi dédaigner de faire appel au témoignage du poète lui-même, chaque fois que la chose sera possible?

UNE DENTELLE S'ABOLIT...

Encore une chambre vide et une chambre encore de poète puisqu'elle appartient à celui « de qui le rêve se dore » autrement dit celui dont la rêverie s'embellit de la beauté d'une forme poétique. La chambre a cette particularité d'être, ici, décrite à la fois du dehors et du dedans, et ce n'est plus à la nuit tombante mais au lever d'une aube blême qu'on l'entrevoit à travers une fenêtre à demi ouverte. La dentelle d'un rideau dont la blancheur est à peine visible s'agite dans le vent. C'est une dentelle « abolie », ce mot tellement aimé par Mallarmé parce qu'il est à mi-route entre

l'existant et l'inexistant. Ce terme d' « aboli » a été introduit dans la littérature poétique par Gérard de Nerval, un
des auteurs préférés de notre écrivain, dans le poème que
l'abbé Brémond citait comme le type de la poésie pure :

> *Je suis le ténébreux — le veuf — l'inconsolé,*
> *Le prince d'Aquitaine à la tour abolie.*
> *Ma seule étoile est morte et mon luth constellé*
> *Porte le Soleil Noir de la Mélancolie.*

Poème qui, indépendamment de sa signification analysable,
signification dont la certitude, suivant les partisans de la
poésie pure, n'est pas indispensable et pourrait même être
gênante, possède un charme magique de formule incantatoire.

Que veut dire le second vers de « Une dentelle s'abolit » :

> *Dans le doute du Jeu Suprême*

Pour le savoir, il est nécessaire de se reporter aux théories
de Mallarmé sur le mythe solaire. Le « doute », c'est la
période incertaine, hésitante du Jeu Suprême, ce jeu étant
le miracle quotidien par lequel le soleil, mort la veille au
soir, renaît tous les matins, ainsi que le Phénix, aussi
brillant que lors de l'aube précédente. Sur ce miracle quotidien, voici ce que dit l'écrivain dans *les Dieux antiques,*
et il est frappant que le paragraphe reproduit par nous
ci-dessous est rehaussé d'italiques et de capitales par Mallarmé qui stipule que le passage n'est pas de Cox, l'auteur
anglais traduit par lui, mais bien du traducteur.

« Si l'élément poétique l'emporta décidément, dans la
Mythologie, sur l'élément purement religieux, quelle est
donc l'idée, chère au poète, qui pourrait, selon la science
moderne, ordonner en un système le groupe épars des
dieux et des héros? *Nous parlons aujourd'hui du Soleil qui
se couche et se lève avec la certitude de voir ce fait arriver;
mais eux, les peuples primitifs, n'en savaient pas assez
pour être sûrs d'une telle régularité; et, quand venait le
soir, ils disaient : « Notre ami le Soleil est mort, reviendra-t-il? » Quand ils le revoyaient dans l'Est, ils se réjouissaient parce que l'astre rapportait avec lui et sa lumière et
leur vie.*

« *Tel est, avec le changement des Saisons, la naissance
de la Nature au printemps, sa plénitude estivale de vie et
sa mort en automne, enfin sa disparition totale pendant
l'hiver (phases qui correspondent au lever, à midi, au
coucher, à la nuit), le grand et perpétuel sujet de la
Mythologie : la double évolution solaire, quotidienne et
annuelle. Rapprochés par leur ressemblance et souvent
confondus pour la plupart dans un seul des traits principaux qui retracent la lutte de la lumière et de l'ombre, les
dieux et les héros deviennent tous, pour la science, les
acteurs de ce grand et pur spectacle, dans la grandeur et la
pureté duquel ils s'évanouissent bientôt à nos yeux, lequel
est : LA TRAGÉDIE DE LA NATURE.* » (Edition de la Pléiade,
p. 1169.) Et, pour tout ce passage, Mallarmé a indiqué
dans le livre : « Note particulière à la traduction. »

Ce qui, pour les lecteurs n'ayant pas la stérilité pour
idéal, peut paraître insolite dans le poème, c'est que, dans
les demi-ténèbres matinales, l'aube ne laisse voir aucun
lit à l'intérieur de la pièce. Le poète ne sacrifie-t-il donc
jamais à l'Amour? Pareil ascétisme peut sembler scan-
daleux.

Pas de doute pourtant. Le rideau ne cherche pas à
cacher ce qui se passe à l'intérieur de la pièce. La guipure,
agitée par la brise, est repliée sur elle-même en un
« unanime blanc conflit ». Cette épithète d'« unanime » est
celle que Mallarmé va appliquer ailleurs au « pli » de
l'éventail qui est capable de se déployer ou de se refermer
de telle façon qu'il donne toujours une impression d'unité.
Le rideau, ainsi ballotté par le vent,

Flotte plus qu'il n'ensevelit.

Les deux tercets développent les théories de Mallarmé
en matière sexuelle. Pénétré, comme toute sa génération,
des doctrines pessimistes de Schopenhauer, Mallarmé,
comme nous l'avons vu dans le chapitre *Erotisme et
stérilité*, blâmait l'acte de procréation infligeant la vie à
de malheureux humains qui ne l'ont pas sollicitée; il déplo-
rait aussi que le hasard de la naissance enchaînât le fils
à la fréquentation d'une famille qu'il n'avait pas choisie.
Allant plus loin que Samuel Butler souhaitant que notre
espèce pût se reproduire par boutures, Mallarmé, dans

« Une dentelle s'abolit », dit sa douleur de n'avoir pu être
porté dans le ventre d'une mandore, ce qui l'eût dégagé
de tout lien avec ses parents, tout en lui conférant une
origine harmonieuse. Communiant avec Schopenhauer en
son culte pour la musique, Mallarmé, dans la chambre du
poète, substitue au lit, théâtre obscène des méthodes tradi-
tionnelles de génération, le bel instrument de musique dans
lequel il avait la joie de découvrir la notion de vide qui
était un de ses thèmes favoris puisque c'est du « creux
néant musicien » dont se compose essentiellement cet instrument à cordes que sortent des accents délicieux. Quel
bonheur si l'on avait pu naître de cette mandore et non
d'un vulgaire ventre maternel et tout près d'une fenêtre
ouverte sur l'idéal ! Quelle reconnaissance vraiment filiale
on eût pu ressentir pour une génitrice sans préoccupations
malsaines et qui, ainsi, serait digne du poète qu'elle aurait
enfanté :

> *Telle que vers quelque fenêtre*
> *Selon nul ventre que le sien,*
> *Filial on aurait pu naître.*

« Selon », comme dans les autres poèmes hermétiques de
Mallarmé, a le sens étymologique de « le long de »,
l'enfant, au moment où il vient au monde étant allongé
tout contre le ventre de la mère et je pense à l'expression
« poulain sous la mère » employée par les vétérinaires
pour désigner le cheval nouveau-né.

Chapitre XII

UN POÈME SUR L'ART DE FUMER UN CIGARE

« *TOUTE L'AME RÉSUMÉE* »

Ce poème a paru dans le *Figaro* du 3 août 1895, au cours d'une enquête menée par Austin de Croze sur le vers libre et les poètes. « Voici des vers que, *par jeu* — disait Austin de Croze — le poète voulut bien écrire à notre intention pour cette enquête. »

Ce « jeu » est d'autant plus curieux à étudier qu'il est particulièrement impossible à comprendre tant que l'on ne fait pas intervenir Littré.

> *Toute l'âme résumée*
> *Quand lente nous l'expirons*
> *Dans plusieurs ronds de fumée*
> *Abolis en d'autres ronds,*

dit le premier quatrain. Ce que Mallarmé a voulu là nous exposer, c'est la technique du procédé par lequel un virtuose du cigare parvient à lancer des ronds de fumée vers le plafond. Cette technique consiste en ceci : reprendre d'abord son souffle, le second quatrain expliquant qu'il est indispensable aussi de faire tomber la cendre de l'extrémité du cigare, lequel doit rester très brillant pendant l'opération. Le mot « âme » a son sens étymologique de souffle (*anima*, en latin). Dans l'emploi de résumer avec sa signification étymologique (*re-sumere*, reprendre, en latin) Mallarmé était soutenu par ses souvenirs d'angliciste puisque « to resume » en anglais signifie reprendre et non pas résumer, le mot français : résumer, dans son acception habituelle, se traduisant en anglais par « to sum up ».

> Atteste quelque cigare
> Brûlant savamment pour peu
> Que la cendre se sépare
> De son clair baiser de feu,

dit le deuxième quatrain. « Atteste » a vraisemblablement pour sujet « toute l'âme résumée ». Il n'est pas possible d'obtenir des ronds de fumée sans posséder un cigare dont on fait, au fur et à mesure, tomber la cendre.

Voici maintenant la fin du poème :

> Ainsi le chœur des romances
> A la lèvre vole-t-il
> Exclus-en si tu commences
> Le réel parce que vil
>
> Le sens trop précis rature
> Ta vague littérature.

Le « chœur » est donné par Littré comme ayant pour étymologie le grec : *choros*, danse. Le premier sens de « chœur » fourni par Littré n'est pas celui de groupe de chanteurs mais de gens qui dansent ou marchent en cadence. Puis, par extension de l'antique, « membres d'un corps de ballet qui dansent ensemble ».

Quant à « romance », le premier sens, suivant Littré, n'est pas celui d'une chanson mais d'un poème naïf, écrit non pas en latin mais en langue populaire, c'est-à-dire romane. « Vole-t-il », au point de vue syntaxique, c'est « s'il vole ». La signification du quatrain est donc : « Écrivain, si des thèmes poétiques te montent aux lèvres, exclus-en, dès le début, tout réalisme pour qu'ils soient beaux, comme tu as fait tomber la cendre de ton cigare pour être sûr d'en tirer des ronds de fumée aux superbes contours. »

Dans les deux derniers vers, « raturer » de la famille de « râcler » signifie dans Littré, supprimer complètement, Littré l'opposant à rayer car, si l'on raye un mot, il reste lisible, alors qu'on ne peut pas déchiffrer un mot lorsqu'il

est « raturé ». « Ta vague littérature » n'est donc pas pour
Mallarmé une expression dépréciative. Ici Mallarmé est
d'accord avec Verlaine conseillant de ne pas choisir les
mots « sans quelque méprise ». A d'autres instants, Mallarmé qui, comme nous l'avons vu, se vante parfois d'être
« direct », parfois d'être « indirect », se fait gloire d'être
précis. Dans sa préface à *Vathek*, il traite « l'ombre et le
vague » de « jumeaux néfastes ».

Ce qui, dans le reste de l'œuvre de Mallarmé, se rapproche le plus du texte des deux derniers vers de « Toute
l'âme résumée », c'est la déclaration de Mallarmé à
Dauphin que nous avons déjà signalée au chapitre v : « Le
Réel a à son service la prose qui suffit amplement à nous
le montrer ; — les vers, sans nulle parenté avec elle, ne
doivent jamais servir que le Rêve et lui seul. »

Chapitre XIII

UN POÈME SUR LA DANSE

BILLET A WHISTLER

Ce « billet à Whistler » a paru en 1890 à Londres dans le journal *The Whirlwind* où ont été publiées plusieurs lithographies de Whistler. C'est parce que Whirlwind, en anglais, signifie tourbillon et aussi cyclone et rafale que Mallarmé emploie, dans ce court poème les mots « tourbillon » et « rafale » qui s'appliquent en même temps aux lithographies de danseuses par Whistler. Il est même possible qu'une danseuse de Whistler ait paru dans un numéro du *Whirlwind* puisque, dans une lettre de Whistler, citée p. 1477 de l'Edition de la Pléiade, il est dit que « la difficulté était de faire paraître le sonnet et les lithographies ensemble ». Miss Marian Fletcher a bien voulu consulter pour moi les exemplaires conservés au British Museum; elle n'y a pas relevé de danseuse par Whistler; il est vrai que la collection du Whirlwind n'est pas complète et qu'en particulier une lithographie de Whistler a disparu d'un des numéros.

Les rafales auxquelles s'intéressent et la revue anglaise et Mallarmé ne sont pas — disent les premiers vers — les rafales comme celles qui se produisent dans la rue habituée, les soirs de tempête, à voir virevolter les chapeaux des passants.

Non, la plus belle des rafales, c'est un tourbillon de mousseline qui, dans une furieuse exaltation, vole en écumes soulevées par le genou d'une femme qui danse.

« Celle-là même dont nous vécûmes » est à mon avis une périphrase à la Delille pour désigner la Femme, c'est-à-dire l'Etre auquel nous devons d'appartenir à la race humaine; peut-être est-ce une parodie du vers si ridiculisé alors de Gabriel Legouvé sur « le sexe auquel tu dois ta mère ». Legouvé était en effet une des têtes de Turc des poètes d'avant-garde; dans l'*Art pour tous* (Ed. de la Pléiade, p. 257) Mallarmé s'est, en 1862, indigné de ce que les typographes se servent des mêmes caractères pour imprimer les *Fleurs du Mal* et « de la prose du vicomte du Terrail ou des vers de M. Legouvé ».

Le tutu d'une danseuse, voilà — pensera-t-on — un sujet bien rebattu. Oui, pour tout autre que Whistler. « Rebattu », grammaticalement, doit s'appliquer à tutu mais la construction de la phrase est bien chaotique.

Whistler, seul, a su rendre ce qu'il y avait d'esprit, d'enivrement et, au moment de son paroxysme, ce qu'il y avait d'immobilité dans cette frénésie. Aussi est-il naturel que la danseuse, toute idée de pudeur écartée, n'ait qu'un souci : éventer Whistler de sa jupe où l'air s'est engouffré.

Chapitre XIV

QUELQUES POÈMES SUR LES CYGNES

LE CYGNE

Imprimé d'abord en mars 1885 dans *la Revue Indépendante,* ce poème a été tant de fois commenté que je dirai seulement ce qui me paraît essentiel, rectifiant de temps en temps quelques erreurs commises à son sujet.

Il est certainement né d'un poème de Gautier dans *Emaux et Camées :*

> *Un cygne s'est pris en nageant*
> *Dans le bassin des Tuileries*

Le poète, sans doute, comme l'a noté Mme Noulet, s'est en outre souvenu du *Cygne* de Baudelaire et de *l'Albatros* et aussi des *Torts du Cygne* de Banville.

Il est difficile de fixer la date à laquelle il a été composé. Je suis cependant tenté de penser qu'il date du début de la période hermétique. D'une part en effet, il conserve la puissance d'envoûtement des vers de la période *d'Hérodiade* et de *l'Après-Midi d'un Faune* et il est dans son ensemble conçu sans recherche de rimes trop riches ou de constructions syntaxiques trop compliquées; d'autre part, l'emploi de *oublié* dans le sens étymologique à la troisième ligne du premier quatrain nous montre que le poète a déjà fortement subi l'influence du Littré.

« Le lac dur oublié », c'est en effet le lac durci par le gel et rendu livide par le givre (je renvoie le lecteur à ce que j'ai déjà dit sur l'emploi *d'oubli* et *d'oublié* à propos de « Sur les bois oubliés... » et de l'« oubli fermé par le cadre » dans « Surgi de la croupe et du bond », le tout ayant pour point de départ la désignation par Littré de *lividus* comme étymologie possible d'« oubli ».)

Le présent, quelques soient ses séductions, quelque soit l'émotion qu'il nous donne, ne doit pas, suivant Mallarmé — pour qui l'âge d'or se situe dans le passé — nous faire perdre de vue cet Eden de nos ancêtres. « Tout poète lyrique, en vertu de sa nature — dit Baudelaire dans une citation opportunément rappelée par Kurt Wais à propos de Mallarmé — opère fatalement un retour vers l'Eden perdu. »

Au point de vue grammatical, il est intéressant de remarquer que Mallarmé fait précéder « aujourd'hui » de l'article « le », ce qui était très rare au XIXᵉ siècle. S'il se l'est permis, c'est qu'il se trouvait justifié par une citation de Bourdaloue, fournie par Littré au mot : aujourd'hui. « Les hommes n'ont qu'un aujourd'hui... cet aujourd'hui que le fils de Dieu nous a toutefois marqué l'unique objet de nos soins. »

C'est la nostalgie de l'Eden perdu qui conduit le Cygne à se rebeller contre sa condition présente car c'est un être d'élite qui se remémore ces temps lointains. C'est « un cygne d'autrefois ». Comme l'a fait très finement remarquer Kurt Wais, dans un article de 1937 dans la Zeitschrift für französische Sprache, la formule « d'autrefois » confère pour Mallarmé une garantie de beauté aux personnes comme aux choses. Dans le poème en prose intitulé *Le phénomène futur*, Mallarmé nous avait, dès 1864, conduit à la maison en toile du Montreur de choses passées. A « une malheureuse foule, vaincue par la maladie immortelle et le péché des siècles, d'hommes près de leurs chétives compagnes enceintes des fruits misérables avec lesquels périra la terre » le Montreur présente « une Femme d'autrefois », c'est-à-dire très belle. « Une extase d'or, — dit le Montreur — je ne sais quoi! par elle nommé sa chevelure, se ploie avec la grâce des étoffes autour d'un visage qu'éclaire la nudité sanglante de ses lèvres. » Et, une fois le spectacle contemplé, la foule restera atterrée à la pensée de la déchéance que les siècles ont apportée à l'humanité « tandis que les poètes de ces temps, sentant se rallumer leurs yeux éteints, s'achemineront vers leur lampe, le cerveau ivre un instant d'une gloire confuse, hantés du Rythme et dans l'oubli d'exister à une époque qui survit à la beauté ». Dans *les Fenêtres*, Mallarmé avait aussi célébré « une peau virginale et de jadis ».

Le cygne sait que sa rébellion ne lui servira de rien; elle sera « inutile », pour employer l'adjectif qui est cher à Mallarmé et que nous trouverons au dernier vers du poème (voir dans la première partie de ce livre le chapître « Erotisme et Stérilité » où nous avons plus longuement traité de l'admiration de l'écrivain pour cette notion de l'inutile).

Ce que Mme Noulet a, je crois, bien compris (1), c'est que le cygne, autrement dit le poète, n'est pas tellement en révolte contre la vulgarité du monde où la nécessité l'a placé; il n'en veut pas à « l'horreur du sol où le plumage est pris », c'est à lui-même, c'est à son impuissance qu'il s'en prend; il aurait dû avoir l'énergie, tout au moins pendant l'hiver, saison favorable aux créations poétiques, de dire plus harmonieusement et avec plus de fécondité les splendeurs de cet Eden perdu dont il a gardé confusément le souvenir. Les « vols qui n'ont pas fui » ce sont les somptueux poèmes dont il a rêvé et qu'il n'a pas eu le courage de rédiger. C'est que l'éclat même des visions qui lui traversent l'esprit est éblouissant au point de l'empêcher de les exprimer. C'est contre la beauté de ces visions, contre la perfection de « l'Azur », ici appelé par lui « l'espace » que le poète finit par s'insurger. Azur et espace sont bien, pour Mallarmé, synonymes puisque, suivant Littré (voir le mot : espace), le « ciel » peut être défini comme « espace céleste ou simplement espace ». « La philosophie ancienne, — dit encore Littré — au delà de la sphère du monde n'admettait ni aucun corps ni aucun espace. »

Le poète ne pourra que se taire douloureusement en méditant et sur le don de compréhension qui lui a été imparti et sur l'inefficacité de ses moyens qui l'empêche de manifester par des œuvres toute l'intensité de ses sensations. Au fond, *le Cygne* est la traduction en langage poétique de la lettre qu'en 1864 il écrivait à Mistral : « Les choses de la vie m'apparaissent trop vaguement pour que je les

(1) Dix poèmes de Stéphane Mallarmé. 1948. Droz, éd. à Genève.

aime et je ne crois vivre que lorsque je fais des vers, or je m'ennuie parce que je ne travaille pas et d'un autre côté, je ne travaille pas parce que je m'ennuie. Sortir de là! »

Sortir de là! C'est bien à ce thème que se résume en effet, convenons-en le prestigieux poème du Cygne emprisonné dans la glace.

Terminons par cette remarque grammaticale que le mot « vêt », dans le dernier vers :

> *Que vêt parmi l'exil inutile le cygne*

est pris dans un sens actif, maintenant tombé en désuétude. « Vêtir — dit Littré — c'est mettre sur soi un vêtement : vêtir une robe ou une camisole. »

REMÉMORATION D'AMIS BELGES

Ce sonnet qui a Bruges pour décor a été publié en 1893 mais il est probablement antérieur de quelques années puisqu'il rappelle la rencontre que Mallarmé fit à Bruges en février 1890 au Cercle Excelsior sur Villiers de Lisle-Adam.

Il y a certaines heures — dit Mallarmé (c'est du moins l'interprétation que nous donnons à ces vers) — où il me semble que ce que Thibaudet désigne comme « la brume bleue » de Bruges vient flotter autour du poète en paraissant se dégager des pierres qui ont l'air de se vider de leur contenu.

Dans « la pierre veuve », nous trouvons l'influence de Littré, « veuf » étant pris dans le sens étymologique de « vide ». « Selon », aussi est pris dans sa signification étymologique de « le long de ». « Toute la vétusté », à mon avis est le sujet de « flotte », mot qui commence le second quatrain, les vers trois et quatre devant être tenus pour être entre parenthèses, « comme » signifiant : tandis que.

Ce souvenir, déjà ancien, loin de s'émousser, se fortifie avec le temps qui le lubréfie de son baume.

« Nous immémoriaux quelques-uns si contents » est une formule elliptique qui se passe de verbe. Mallarmé entend dire : « alors que quelques-uns d'entre nous se sentent fort satisfaits de pouvoir, soudain, (ce que, vu notre âge, nous jugions impossible) contracter des amitiés nouvelles. »

Cette rencontre avec des amis belges, Mallarmé l'évoque dans les tercets où il se remémore la vision de Bruges où les rayons de l'aube se réflètent dans les eaux mortes parmi lesquelles évoluent des troupes de cygnes. Les ailes de ces cygnes nous illuminent l'esprit qu'illumine aussi un autre spectacle, celui d'un autre vol, spirituel celui-là, le vol de la troupe de jeunes poètes belges qui seront plus tard la gloire de Bruges.

PETIT AIR (1)

J'aurais peut-être pu ranger ce court poème dans le groupe des poèmes érotiques car, s'il y est question de cygnes, il s'y agit aussi d'une femme nue qui se baigne. C'est encore à Bruges que nous voici transportés ou plutôt c'est la vue d'une femme se baignant dans une rivière qui, en 1894, suscite chez Mallarmé le souvenir de sa visite à Bruges; la chair de la femme qui se baigne fait surgir en lui l'image d'un cygne agitant son aile dans l'eau.

Une note (p. 1477) de l'Edition de la *Pléïade* nous permet de reconstituer les conditions dans lesquelles le poème fut composé et, pourrait-on dire, commandé. Dans les papiers du poète, on a en effet retrouvé une lettre à en-tête du quotidien *Le Journal,* expliquant comment le poète avait été prié de collaborer à une série de poèmes illustrés et intitulés *Les Cantiques d'Amour. Le Journal* avait même communiqué à Mallarmé une épreuve du dessin qui aurait accompagné le poème et qui aurait pour thème *les Baisers.* C'est *Bain* que portait comme titre le poème envoyé. Mallarmé, en ces temps où la machine à écrire n'était guère en usage, aurait-il lu *Bain* au lieu de *Baisers?* En tout cas, le secrétaire de rédaction lui répliqua que le poème ne correspondait pas à la commande; il lui demanda de rédiger un nouveau sonnet qui serait une sorte de conclusion aux douze poèmes « consacrés à l'amour ». L'écrivain, très vexé, rétorqua que l'illustration représentant « un jeune calicot qui apparaît devant un étang, me semble tout autant qu'à lui prodiguer des baisers, inviter sa collègue de rayon à risquer un bain ». « En outre — poursuivait-il — votre interprétation, si spéciale et un peu directe, pourrait n'être pas conforme à mes habitudes ni à mon âge. »

Il n'y a pas lieu d'être surpris que Mallarmé ait été choqué, alors qu'il avait adopté depuis plusieurs années la méthode hermétique, de ce qu'une illustration soulignât aussi nettement l'interprétation qu'il convenait que les lecteurs donnassent au poème. « Je profite, à l'instant, — écrivit-il — du malentendu pour adresser ces quatorze vers à une publication d'art qui me sollicitait et je n'ai qu'à gagner. Je retire donc le sonnet et décline votre flatteuse proposition de paraître, en treizième, pour résumer l'envoi de mes confrères; aussi je sais peu faire, principalement refaire, sur commande. » Peu après cette lettre qui n'est qu'un brouillon et qui n'a peut-être pas été expédiée précisément sous cette forme, le sonnet : *Bain* parut dans *l'Epreuve* sous le titre de *Petit Air*.

Ce *Petit air* me semble pouvoir se résumer ainsi : « Nous sommes au bord d'une rivière, dans un lieu solitaire et sans caractère; il n'y a là ni cygne ni quai. Le décor, très quelconque, se reflète dans mes yeux, lesquels ont renoncé ici à se griser des couchers de soleil qui font la réputation de bien des paysages. Mais brusquement, une source d'intérêt jaillit pour moi : la femme aimée entre dans la rivière. Quand elle enlève lentement sa chemise, je crois que l'aile blanche d'un oiseau a passé doucement devant moi et j'aperçois, aussitôt après, « ta jubilation nue », je sens vibrer en moi la joie que vient d'apporter à mes yeux la nudité de ton corps. »

Chapitre XV

POÈMES AYANT POUR THÈME UN NAVIRE

SALUT

« Salut » est un toast porté par Mallarmé en 1893 à la fin d'un banquet de poètes. J'ai d'abord hésité à en parler car, s'il appartient à la période hermétique de Mallarmé, il n'a rien de volontairement secret et s'apparente plutôt aux œuvres antérieures de l'écrivain. On n'y discerne pas l'influence de Littré et peut-être fut-il composé bien avant l'époque où Mallarmé le lut en public.

Thibaudet, dans son magnifique livre sur *la Poésie de Mallarmé*, a très perspicacement expliqué ce que Mallarmé avait voulu dire dans ce poème.

« Le vers — a écrit Thibaudet — ne désigne ici que la coupe levée aux doigts du poète, la coupe sur le vide, sur la mer, écume vivante peut-être, — littéralement le panache mousseux, un instant fleuri entre des parois de cristal. Voyez : des images qui ne se suivent pas mais, comme les sirènes mêmes, entre un jaillissement et une disparition, plongent, s'appellent, se présentent de flanc, sous un rayon, en un chœur, comme une écharpe. De ce frêle verre de Murano, le jeu poétique fait jaillir, toutes voiles dehors, un Bucentaure de poètes. Ici, le Maître, ayant d'un regard dénombré ses amis, s'assure et sourit. Voyez dispersée, puis carguée en la toile coupante, la gerbe fine du dernier tercet! Pas une phrase mais une constellation de quinze mots et, autour, la page blanche. Qu'un écrivain avide d'encre trace péniblement la figure à gros traits : trois points, trois clous de diamant, suffisent ici pour la déterminer, pour en poser, en un ciel platonicien, l'essence. »

Si j'ai cependant décidé d'en traiter, c'est qu'on y voit apparaître le thème du navire que, sous une forme hermétique, il a repris et dans « A la nue accablante tu » et aussi, sous un aspect semi-hermétique dans le *Coup de dés*. Et puis on y distingue quelques-unes des caractéristiques continues de l'inspiration mallarméenne quelle que soit la sorte de vocabulaire qu'il emploie.

On y constate très clairement que Mallarmé, quoiqu'il ait lu lui-même ce poème à haute voix devant une assemblée, était avant tout un écrivain visuel. Je me demande ce qu'ont pu comprendre les convives du banquet, quoiqu'ils eussent acclamé le récitant, lorsqu'il leur a dit :

> *Rien, cette écume, vierge vers*
> *A ne désigner que la coupe...*

Qui n'a cru, puisque le poète plaçait sous les regards la mousse écumant à la surface du vin et que les auditeurs, faute d'un texte écrit, ne pouvaient pas deviner l'orthographe du mot « vers » qui leur était proposé, qui n'a cru qu'il désignait un « verre » à boire et la « coupe » de champagne qu'il brandissait? Or la « coupe » dont il s'agit est peut-être une coupe prosodique et le « vers » du poème n'est qu'un homonyme du « verre » auquel chacun pensait.

Mallarmé, il est vrai, nous aurait répondu qu'un poème n'est pas fait pour être entendu mais pour être lu. Il n'aimait pas qu'on lût ses vers à voix haute, car il souhaitait que chacun entrât en contact par les yeux avec son poème. Beaucoup le croient plus auditif que visuel parce que, vers la fin de sa vie, il assistait régulièrement aux concerts Lamoureux, mais cette passion que, brusquement il contracta pour la musique, se conformant en cela aux tendances des autres symbolistes, n'était, comme l'a dit Thibaudet, « qu'un simple amour de tête ». Il ne fréquentait pas les concerts lorsqu'il a écrit l'*Après-midi d'un Faune* et Geneviève Mallarmé a noté que son père, pendant la plus grande partie de son existence, a éprouvé une telle répulsion pour la musique qu'il voulait lui interdire d'apprendre le piano. Même à l'époque où il fut devenu un fervent des symphonies, il avoue qu'elles lui procuraient des sensations visuelles. C'est à un point de vue très spécial que la musique a retenu son attention. Son but était de faire rendre au vers des sensations semblables à celles que donne la musique, mais par des procédés visuels. On reconnaît bien là celui qui plaçait la danse très haut dans la hiérarchie des manifestations artistiques. C'est en partant de ces principes qu'il a composé le *Coup de dés* où, ainsi que dit Valéry, « toute son invention déduite d'analyses du langage, du livre, de la musique, se fonde sur la considération de la page, unité visuelle ». S'il a été très opposé au vers libre, c'est qu'il y distinguait avec beaucoup de lucidité une revendication des auditifs contre les visuels.

La question : Mallarmé visuel a même été tranchée par les tribunaux lorsque les héritiers du poète s'opposèrent avec succès à ce que le *Coup de dés* fût donné en public avec accompagnement musical. En cette matière, Mallarmé était proche voisin de Th. Gautier qui disait aux Goncourt : « Moi, je crois surtout qu'il faut dans la phrase un rythme oculaire. Par exemple une phrase qui est très longue au commencement ne doit pas finir petitement, brusquement à moins d'un effet ». « Un livre — disait encore Gautier à propos de Flaubert — n'est pas fait pour être lu à haute voix ». Ainsi Mallarmé rimait-il fanatiquement pour l'œil et non pour l'oreille, quelles que fussent les circonstances. Seignobos, dans un des quatrains, a pour contrepartie « les plus beaux » ou encore « nos vains bobos »; tout angliciste de profession qu'il fût, Mallarmé donne « conclure » comme rime à Maclure et « croyez-m'en » comme rime à Merman. Resté très parnassien sur ce terrain, il ne peut résister à la tentation de la rime millionnaire ainsi que son ami Banville qui fit rimer « boucherie » avec « sans que leur bouche rie », et « l'Himalaya » avec « que lima Laya ». Certaines de ses rimes-calembours sont même directement imitées de Banville : quand « l'âne de Madeleine » rime avec « ce que tout buisson a de laine », c'est que Mallarmé a évidemment pensé au poème de Banville où Henri de la Madeleine fait pendant à « damas de laine ». Rien que de naturel à cela quand Mallarmé s'amuse et que les rimes sont harmonieuses mais, alors même qu'il écrit une pièce destinée par lui à la postérité, il ne peut se refuser une rime riche, dû la sonorité en être fort déplaisante. Dans *Autre Eventail,* la cheville « Ce l'est » rime inharmonieusement et inopportunément avec « bracelet » alors que le début du vers « stagnants sur les soirs d'or » était si beau!

N'est-il pas allé dans sa hantise du rythme oculaire jusqu'à chercher, dans le *Coup de dés,* à exprimer les méandres et les pauses de sa pensée par des blancs inégalement répartis sur la page? « Le vaisseau — a-t-il à ce sujet écrit à André Gide — y donne de la bande du haut d'une page au bas de l'autre, etc.; car, (et c'est là tout le point de vue qu'il me fallut omettre dans un périodique) le rythme d'une phrase, au sujet d'un acte ou même d'un objet, n'a de sens que s'il les imite, et figuré sur le papier, repris par la lettre à l'estampe originelle, n'en sait rendre malgré tout quelque chose. » De même les Alexandrins composaient des poèmes en forme d'urnes et d'aiguières. Mais cette disposition typographique ne facilitait guère l'interprétation grammaticale de la phrase.

Par une certaine contradiction, d'ailleurs, le poète lorsqu'il lisait ses œuvres à haute voix, excellait, paraît-il, ce qui explique son succès auprès des disciples qui l'ont connu, à se rendre très compréhensible en marquant habilement, de diverses inflexions de la voix, et la ponctuation absente de ses livres, et les relations des mots à l'égard les uns des autres. « De par l'art de sa merveilleuse diction — dit Henri de Régnier — à propos de la conférence si touffue sur Berthe Morisot — Mallarmé dissipait les obscurités du texte et en extrayait le sens sans en enlever le mystère. Parlée, la phrase écrite devenait à la portée de l'auditoire et en demandait pour être comprise rien de plus que de l'attention. » Témoignage qui confirme encore que la signification d'une phrase de Mallarmé ne varie pas suivant l'esprit de l'usager mais possède une valeur unique qui peut être fixée objectivement.

Si *Salut* n'est pas un poème hermétique, il est donc par moments assez obscur. De même que le sens de « coupe » prête à équivoque au commencement de la pièce, le mot « toile » est susceptible à la fin de comporter deux significations; sans doute, est-ce la toile qui constitue la voile du navire et nous discernons dans cette image l'enthousiasme du yachtsman Mallarmé pour la navigation à la voile; mais « le blanc souci de notre toile » ne suscite-t-il pas irrésistiblement aussi chez le lecteur le souvenir de la « page blanche » et la toile du peintre sur laquelle naîtra le motif voulu par l'artiste? Ce qui est frappant, c'est que, dans les poèmes hermétiques de Mallarmé qui sont composés avec beaucoup plus de minutie, il n'y a plus de place pour l'équivoque, chaque mot n'ayant qu'un sens précis, le sens fourni par Littré.

A LA NUE ACCABLANTE TU

Le contraste entre le poème précédent et la pièce hermétique que nous allons maintenant examiner est tout à fait impressionnant puisque, désormais, Mallarmé, s'appuyant sur la collaboration de Littré, y donne « un sens plus pur aux mots de la tribu ». La construction même de la phrase, tout en étant assez inhabituelle, est beaucoup plus systématique qu'auparavant comme sera systématique dans le *Coup de dés* la disposition méthodique des thèmes qui, avant de se rejoindre, serpentent chacun méthodiquement côte à côte sur des pages se faisant face à face.

« L'innovation principale établie par l'auteur dans ce dernier « état » de son œuvre — dit l'éditeur lorsque, peu après la mort du poète, il présente le *Coup de dés* en librairie — nous semble consister en ceci qu'il n'existe pas de page recto ou verso mais que la lecture se fait sur les deux pages à la fois, en tenant compte simplement de la descente ordinaire des lignes. »

Pour en revenir au poème « A la nue accablante tu », Henry Charpentier a, avec quelque raison, déclaré que ce sonnet « qui passe pour l'un des plus difficiles perd toute obscurité lorsque, en supprimant toutes les inversions, on rétablit l'ordre des mots dispersés, suggestivement d'ailleurs, comme les pièces éparses d'un navire que brise la tempête : « Quel sépulcral naufrage qui, à la nue accablante, basse de basalte et de laves,... abolit le mât dévêtu. » Je dis : avec quelque raison parce que, faute d'avoir connu alors la dette de Mallarmé à Littré, Charpentier a trébuché sur

11

le sens de plusieurs mots. Il n'a pas saisi, en particulier,
que « basse » dans le poème n'est pas une épithète appliquée à « nue accablante » mais un substantif appartenant
au vocabulaire maritime et souvent employé, pour sa
rareté, par les fabricants de rébus ou de mots croisés.
(L'art de Mallarmé, dans la seconde partie de sa vie, est
une sorte de mot-croisisme). Le mot : basse, suivant Littré,
est un « terme de marine et d'hydrographie » signifiant un
« petit banc ou îlot de roches qui ne découvre jamais sans
cependant, comme le bas-fond, laisser assez d'eau pour
passer dessus, de basse mer ». Le nuage très sombre, touchant presque l'océan et qui détermine la tempête est
comparé, vu sa noirceur et sa masse compacte, à une basse
qui serait faite de basalte et de lave. « Basse » est donc
accolé ici, en opposition, à « nue accablante ».

Le mot « tu » qui, placé à la fin du premier vers, rime
avec un autre « tu » au cinquième vers, est le participe
passé du verbe : taire. Piège pour le lecteur inexpérimenté
qui, s'il connaissait bien la psychologie du poète-philologue,
saurait que celui-ci est trop puriste pour oser faire rimer
avec lui-même « tu », pronom personnel de la deuxième
personne du singulier.

Nous avons déjà vu, dans la première partie de ce livre,
au chapitre sur l'obscurité de Mallarmé, comment il évitait
souvent de ponctuer ses poèmes, ce qui augmentait la difficulté de l'exégèse. Mais quand, dans un sonnet aussi peu
ponctué que celui-ci, il se résigne à recourir à des virgules,
c'est que ces rares virgules doivent être pour nous une
précieuse indication. Ceci n'a pas échappé à Mme Noulet
qui signale que Mallarmé, ayant placé « écume » entre
deux virgules a donc voulu de toute évidence qu'« écume »
fût pris pour une apostrophe. « Ainsi — dit-elle — Mallarmé qui prépare des ruses pour l'inattentif, s'inquiète de
secourir un lecteur plus curieux. »

Tout ceci étant enregistré, il me semble maintenant
indispensable, pour que les grandes lignes de la construction grammaticale du poème se détachent avec netteté,
de reproduire ci-dessous le sonnet tout entier :

> *A la nue accablante tu*
> *Basse de basalte et de laves*

A même les échos esclaves
Par une trompe sans vertu

Quel sépulcral naufrage (tu
Le sais, écume, mais y baves)
Suprême une entre les épaves
Abolit le mât dévêtu

Ou cela que furibond faute
De quelque perdition haute
Tout l'abîme vain éployé

Dans le si blanc cheveu qui traîne
Avarement aura noyé
Le flanc enfant d'une sirène

Pour que le poème se comprenne, il faut partir du deuxième quatrain. L'auteur, s'adressant à l'écume de la mer lui dit : « Ecume, toi qui as bavé sur le naufrage qui vient de s'accomplir, tu sais à quel point il a pu être sépulcral » (c'est-à-dire combien de morts il a pu causer). « Tu es même seule à le savoir car son horreur a été « tue » (en clair : dissimulée) aux nuages eux-mêmes posés sur la mer, nuages dont la noirceur fait songer à un rocher de basalte. Ces nuages ne pouvaient rien entendre car la sirène du vaisseau en perdition ne fonctionnait pas et son appel ne pouvait, par suite, être répercuté par les échos d'ordinaire si dociles. »

A cet endroit, relevons la complexité de la syntaxe mallarméenne. On est tout d'abord disposé à croire que « à même » est une expression d'un seul tenant alors qu'il faut comprendre « à même les échos » comme signifiant « même aux échos », la préposition à servant de lien entre les échos et le participe passé du verbe : taire. Le naufrage n'est pas seulement dissimulé à « la nue accablante » mais même aux échos qui auraient transmis dans le voisinage le sifflement de la trompe si celle-ci avait accompli son office. Mallarmé ne pouvait pas écrire « même aux échos » et pour des raisons prosodiques et pour des motifs d'euphonie.

Sur ce, je reprends l'exégèse du poème. « Entre toutes

les épaves, la dernière à émerger est le mât privé de sa voile. La formule « suprême une » est un anglicisme, tout naturel chez le professeur d'anglais qu'était Mallarmé. (Cf. son emploi de « plus que » (*more than*) au lieu de « plus que » et son emploi de « maint » comme aussi d'« aucun », correspondant chez lui à « many » et à « any »).

Dans les derniers tercets, Mallarmé s'adresse encore à l'écume. Ou bien, lui dit-il, tu es seule à pouvoir préciser quelle a été l'étendue de la catastrophe maritime ou bien tu sais que, faute d'avoir ainsi détruit beaucoup de vies humaines, l'abîme, furieux d'avoir en vain déployé ses efforts, se sera contenté d'engloutir avidement dans l'ourlet blanc d'une de ses vagues la chair enfantine d'une sirène. « Avarement », c'est avidement (de *avere*, désirer, suivant Littré) ; à rapprocher de la citation de l'*Athalie* de Racine également fournie par Littré :

> *Et tout ce que des mains de cette reine avare*
> *Vous avez pu sauver et de riche et de rare.*

Quant à « vain » accolé comme adjectif à « abîme », il peut être tenu ou comme une épithète à tendance adverbiale (« Tout l'abîme vain éployé » signifiant : tout l'abîme ayant vainement déclenché son immense effort ou encore, ainsi que dans d'autres passages analogues de Mallarmé, comme un adjectif de nature, marquant le vide de l'abîme puisque l'idée de vide est exprimée chez Mallarmé soit par « vain » soit par « veuf »). Le premier sens de « vain » donné par Littré, ce qui, ajoute-t-il, « est le sens étymologique conservé seulement dans les locutions suivantes : « vaine pâture », terre où il n'y a ni semences ni fruits et, par suite, où tous les habitants d'une commune peuvent conduire leurs bestiaux; « terres vaines et vagues », terres incultes qui ne rapportent rien ». Une citation du XIXe siècle relevée par Du Cange à la rubrique *vanitas*, citation toujours figurant dans le Littré, est ainsi libellée : « Laquelle Péronelle qui estoit lasse et vaine, tant pour ce qu'elle n'avoit mangié de tout le jour comme pour ce qu'elle estoit malade. »

Avant de quitter ce poème, mentionnons qu'une expression du même genre que « mais y baves » dans la deuxième strophe se rencontre dans un texte en prose de Mallarmé (p. 323 de l'Edition de la *Pléiade*) où, traitant des manifestations tumultueuses à l'Opéra contre la représentation du *Lohengrin* de Wagner, Mallarmé écrit : « Quelque tempête de : goût qui maintenant s'insurge contre la supériorité et y crache, j'aurai vu pire et rien ne produira qu'indifférence. »

AU SEUL SOUCI DE VOYAGER

De ce sonnet, il est dit dans l'Edition de la *Pléiade :* « Un manuscrit en existe dans la collection Bonniot. Ce sonnet ne figura nulle part avant le recueil, tout juste posthume, des *Poèmes de St. Mallarmé* (1). Dans la bibliographie que rédigea l'auteur pour cette édition, il ne fait aucune allusion à cette pièce qui, retrouvée au dernier moment par les éditeurs, fut ajoutée au recueil. » Je crois qu'aucun commentateur n'a jusqu'ici relevé que, en 1898, ce poème avait déjà paru dans un volume célébrant le quatrième centenaire du voyage de Vasco de Gama et auquel de nombreux écrivains avaient collaboré (le fac-similé du manuscrit de Mallarmé y avait été publié) (2). Il est vraisemblable que le Comité avait commandé cette pièce à Mallarmé.

Mallarmé, au nom de l'Esprit du Temps, adresse un salut au désir d'aventure et de découverte qui anime le voyageur résolu à naviguer au delà des Indes. Sur la vergue du navire de Vasco de Gama brillait la blancheur d'un oiseau annonçant, s'il continuait tout droit sa route, la proximité d'une terre nouvelle où l'explorateur trouverait des gisements de métaux précieux et de pierres rares. Le chant monotone de l'oiseau blanc se réflète sur le visage souriant et pâle de Vasco. Sourire mélancolique car Vasco sait que

(1) Deman, éd. Bruxelles, 1899.
(2) *Album commémoratif* publié sous le patronage de la reine du Portugal. Hommage de la presse française. Textes recueillis par Juliette Adam. Livre achevé d'imprimer le 20 avril 1898. Le poème de Mallarmé a été vraisemblablement écrit entre 1896 et le début de 1898. Léon Daudet, en effet, déclare dans l'*Album* que son père, mort en 1896, lui avait, avant de mourir, signalé dans quel sens il comptait rédiger sa réponse à Juliette Adam qui donc avait, dès 1896, commencé à préparer son livre.

les richesses promises sont des trésors « inutiles » n'apportant avec eux que désespérance. Mais qu'importe puisque c'est justement l'inutilité des choses belles qui fait leur splendeur et le véritable but du voyage n'est que la magnificence de l'effort accompli!

Ce poème, un des plus aisés à comprendre, de Mallarmé, peut être rapproché de *Brise marine*, d'ailleurs très influencé par Baudelaire. *Brise marine* a été composé à Tournon en 1864. En 1866, Mallarmé, dans une lettre, a ainsi résumé *Brise marine* : « ce désir inexpliqué qui vous prend parfois de quitter ceux qui nous sont chers et de *partir*. » On a dit que Mallarmé avait cherché à quitter l'enseignement et à trouver un emploi à bord d'un paquebot.

Chapitre XVI

UN POÈME OCCULTISTE

LA PROSE POUR DES ESSEINTES

On a donné bien des interprétations, souvent ingénieuses mais, toutes subjectives, de la *Prose pour Des Esseintes* de Mallarmé qui parut pour la première fois dans la *Revue Indépendante* de janvier 1885. Ce que nous voudrions entreprendre ici, c'est quelque chose d'entièrement différent : assembler d'une part les faits indiscutables qui, à la suite de ses rapports avec Huysmans, ont conduit Mallarmé à publier cette œuvre et, d'autre part, rechercher les sources occultistes où le poète a vraisemblablement puisé en ce qui concerne le thème essentiel de cette pièce qui, pour reprendre l'expression de Thibaudet « passe pour la quintessence de l'inintelligible ».

Pourquoi d'abord ce titre de *Prose pour Des Esseintes?* Parce qu'une correspondance s'était engagée entre Mallarmé et l'auteur de *la Cathédrale* lorsque celui-ci se préparait à rédiger *A rebours* que Huysmans comptait d'abord présenter comme une simple nouvelle. En septembre 1943, cette correspondance a été donnée dans *Comœdia* par M. de Renéville. La première lettre de Huysmans date du 27 octobre 1882. Huysmans y déclare qu'il a l'intention de mettre en scène dans son récit « le dernier rejeton d'une grande race qui raffole de Poë, de Baudelaire, de la deuxième partie de la Faustin... Il adore naturellement Tristan Corbière, Hannon, Verlaine. » Huysmans, à ces noms, voudrait adjoindre celui de Mallarmé mais il ne possède pas toutes les œuvres éparses de celui-ci; il lui manque en particulier *Hérodiade* et la *Mort de la Pénultième* que Huysmans désigne d'ailleurs comme *Mort de l'Antépénultième;* Mallarmé aurait-il l'amabilité de lui communiquer ces textes-là? La deuxième lettre où il est beaucoup question de Gustave Moreau et de Redon date de novembre 1882. Une troisième lettre, sans date, relate l'envoi par Huysmans à Mallarmé des *Croquis parisiens* où le futur oblat avait souhaité de « célébrer, ainsi que dans un hymne, la délicate gloire des choses faisandées ». Une quatrième lettre du 11 juin 1884 remercie Mallarmé de ses « renseignements mythologiques » (il s'agit probablement de la traduction par Mallarmé des « Dieux antiques » de Cox).

C'est en 1884 qu'a paru *A rebours*. Dans le même numéro de *Comœdia* figure la lettre de remerciements que Mallarmé, à cette occasion, adressa à Huysmans et qui, en juin 1938, a été vendue à l'hôtel Drouot. Cette lettre reconnaissante se termine par le paragraphe suivant : « Ce que je ne peux attendre, c'est non de vous remercier (parce que vous n'avez pas parlé pour me faire plaisir) mais de me dire simplement et profondément heureux, que mon nom, comme chez soi et à propos, dans ce beau livre (arrière-salle de votre esprit) circule, hôte paré de quelles enorgueillissantes robes tissées de la sympathie d'art la plus exquise! Je ne crois qu'à deux sensations de gloire, presque également chimériques, celle apprise du délire d'un peuple à qui l'on pourrait, par des moyens d'art, façonner une idole nouvelle; l'autre de se voir, lecteur d'un livre exceptionnellement aimé, soi-même apparaître du fond des pages, où l'on était, à son insu, et par une volonté de l'auteur. Vous m'avez fait connaître celle-ci, ma foi! jusqu'au délice! »

Ajoutons que l'article de *Comœdia* comporte enfin une lettre de Huysmans du 14 janvier 1885. Huysmans y accuse réception à Mallarmé de la *Prose pour Des Esseintes* qui vient de paraître : « Ce délicieux et artificiel voyage qui manque dans *A Rebours* mais que vous avez si terriblement guilloché dans la *Revue Indépendante* pour des Esseintes. » « Hennequin, par qui j'ai des nouvelles — poursuit-il — me dit que vous allez faire paraître quatre livres! Ah! ce

ne serait pas trop tôt vraiment que des Esseintes pût se
tonifier par quelques suggestives lectures dans ce temps
de démocratique prose! »

C'est donc en quelque sorte pour remercier Huysmans
des pages de *A Rebours* que Mallarmé compose la pièce
pour Des Esseintes.

Pourquoi « Prose » en tête du poème? Peut-être — a-
t-on supposé — parce que le terme de « prose », suivant
le dictionnaire de Littré, le livre qui certainement a exercé
sur Mallarmé la plus profonde influence, s'applique à certains textes solennels récités dans les églises, mais n'est-ce
pas surtout pour rappeler que le mot « prose » avait été
appliqué par Huysmans dans *A rebours* aux ouvrages si
condensés que Mallarmé avait coutume de rédiger? Le
poème en prose « représentait pour Des Esseintes — est-il
noté dans *A rebours* — le suc concret, l'osmazome de la
littérature, l'huile essentielle de l'art... Cette succulence
développée et réduite en une goutte, elle existait déjà chez
Baudelaire et aussi dans le poème de Mallarmé qu'il humait
avec une si profonde joie ». Un peu plus haut Huysmans
avait déjà déclaré que Des Esseintes eût aimé « un poème
en prose à l'état d'off-meat, ...roman concentré en quelques
phrases sur lesquelles on pouvait rêver, sens tout à la fois
précis et multiple ». Pour l'admirateur de belles sonorités
qu'était Huysmans, la poésie n'était donc vraiment parfaite que quand elle arrivait à être belle comme de la prose,
à lui donner la sensation d'une « prose chantée » pour
reprendre l'expression de Flaubert.

Mais il est un autre passage d'*A rebours* sur lequel dut
méditer longuement aussi Mallarmé; c'était celui où Huysmans le félicitait de ses « finesses byzantines ». Ce fut
probablement là la raison qui le décida à prendre Byzance
comme décor de son poème.

Byzance? m'interrogera-t-on. Où prenez-vous qu'il soit
question de Byzance, alors que le nom de Byzance n'est
pas une seule fois cité dans le poème! C'est vrai mais
n'était-ce pas justement un point d'honneur pour Mallarmé
que de ne pas « nommer » un objet mais de le « suggérer »?
D'ailleurs, ce n'est pas à proprement parler de Byzance
qu'il s'agit dans la pièce mais d'un pays antérieur à
Byzance et qui, suivant une légende, aurait existé il y a

bien longtemps puisque c'était avant Adam lui-même mais sur l'emplacement futur de Constantinople. A partir du moment où on se sera rendu compte que la *Prose pour Des Esseintes* a pour point de départ une tradition occultiste se rapportant plus ou moins directement à Constantinople, toute la pièce s'éclairera et l'on ne sera pas surpris d'y voir apparaître les noms d'Anastase et de Pulchérie, tous deux empereurs de Constantinople, ce qui dans l'esprit du poète établira la liaison entre la Byzance de l'histoire et les temps pré-byzantins.

Quels sont les textes qui pourront nous permettre de déterminer exactement l'emplacement de l'île où se rend le poète pour y saluer des fleurs qui ne sont pas seulement d'espèce géante mais bien les types parfaits de la fleur en soi, de « la fleur absente de tous bouquets » pour reprendre une expression mallarméenne? Comment va se justifier la présence dans le poème des noms d'Anastase et de Pulchérie? Pourquoi sont-ce des glaïeuls qui sont désignés entre toutes les plantes comme ayant atteint dans cette île d'extraordinaires dimensions? Pourquoi est-il parlé de « midi » et d' « été »?

Deux trouvailles m'ont mis sur la bonne voie. D'abord une note attachée par Joseph Loth à son édition des *Mabinogion*. Traitant des légendes galloises, cette note stipulait (p. 295) que, lorsque les Cymrys arrivèrent en Galles dans l'île de Pryden, ils venaient du pays de l'été qu'on appelle Deffrobane et la note ajoutait : « Ce nom semble se rapporter à peu près à celui de Taprobane, l'île dont parlait Strabon (v. Ptolémée, 7, 5), là où est Constantinople ». Voilà qui était une première indication.

Me référant, d'autre part, au Grand Larousse qui, plusieurs fois, m'a fourni des informations précieuses sur le sens des vers de Mallarmé (celui-ci lisant fort peu s'est surtout référé dans son travail à des ouvrages encyclopédiques : Littré pour le vocabulaire, Larousse pour les connaissances générales), j'y ai trouvé, au mot glaïeul que les plus grands glaïeuls se rencontraient dans la région de Constantinople.

Poursuivant mes recherches sur les diverses mythologies que, dans son abrégé des *Dieux Antiques* de Cox, Mallarmé avait soigneusement passées en revue, je fus amené à me renseigner sur le problème de l'Atlantide que les uns placent au Sud ou à l'Ouest de l'Europe mais d'autres à l'Est. Tournefort, se basant sur des assertions de Diodore de Sicile et de Strabon admet que le Pont-Euxin était d'abord sans communication avec la Mer de Grèce mais qu'ayant reçu pendant des siècles les eaux des plus grands fleuves d'Europe et d'Asie, il avait fini par s'ouvrir un passage par le Bosphore vers la Méditerranée qui n'était alors qu'un grand lac; la Méditerranée en débordant avait englouti l'Atlantide. Puisque, dans ces temps reculés, il n'y avait pas encore de Bosphore, il n'y avait pas non plus de Byzance et il était loisible à Mallarmé de placer son île mystérieuse sur l'emplacement futur de Constantinople, d'autant que, comme nous allons le voir, des traditions de sources variées l'y encouragèrent.

Je crois, chemin faisant, devoir mentionner que, dans sa note aux Mabinogion, Joseph Loth a certainement fait erreur, à la suite d'une lecture hâtive de Strabon et de Ptolémée, lorsqu'il a indentifié avec Trabopane le lieu de départ des Kymrys. Tous les géographes sont maintenant en effet d'accord pour estimer que Trabopane, l'île aux nombreux éléphants, n'était autre que Ceylan, située au sud des Indes et où rien ne permet de localiser le « pays d'Eté » des Kymrys.

Ce « pays d'été », Gwaladyr Hâv, suivant diverses traditions galloises, aurait été en même temps que le pays d'origine des Kymrys leur terre des morts, la résidence des âmes. Chez les habitants du Somerset, il existait aussi — nous dit le professeur Rhys dans son livre sur les Légendes arthuriennes — une croyance à un lointain pays d'été où vivaient les âmes, Avallon, souvent désigné comme une île et que progressivement on arriva à confondre avec des points de Grande-Bretagne, tels que Glastonbury et Somerset lui-même.

Cette assimilation du refuge des trépassés au lieu d'origine de la race est fréquente dans les mythologies celtiques. Admettant que les hommes descendaient du dieu de la mort, ces mythologies jugeaient naturel que les ancêtres des Celtes fussent partis du monde des défunts pour s'établir ensuite dans l'univers des vivants. Des Gaulois, César nous déclare qu'ils descendaient de Dis pater, souverain des

Enfers. Mais l'aspect de ces enfers celtiques était loin d'être sinistre. Les Irlandais se les représentaient comme des régions ensoleillées où la pluie, la grêle et la neige étaient inconnues; ils en conservaient la nostalgie dans les terres brumeuses et froides où leurs migrations les avaient transportés.

En langue celtique, l'énigmatique « pays d'été » est aussi appelé le pays de Kaff lequel semble bien se confondre avec la montagne de Kaff, terme désignant le Caucase dans les vieux textes orientaux. Il est très intéressant de se référer à un livre de Moreau de Jannès qui date de 1873 et qui, publié chez Didier, s'appelle « l'Océan des Anciens et les peuples préhistoriques ». On y trouve d'abondantes informations sur ce pays d'été. « Les triades celtiques — rapporte Moreau de Jannès — racontent que Hu Gadarn conduisit dans la Bretagne le peuple Cymry du pays de Haf situé du côté où est Constantinople, selon un commentateur. Or, au dire de Plutarque, les Cimbres ou Cymry, ancêtres des Celtes du Jutland, de l'Armorique et de la Grande-Bretagne étaient originaires du Bosphore cimmérien qui avait conservé leur nom... Odin et ses tribus vinrent du bord de la Mer Noire d'où ils apportèrent la civilisation en Allemagne et sur les rives de la Baltique. Tous ces peuples conservaient la mémoire de terribles inondations qui les avaient conduits à abandonner leur terre natale. » Pour Moreau de Jannès, c'est la Mer Noire qui aurait été « la Source du Déluge », un déluge qui, accompagné d'un tremblement de terre, aurait déterminé la création du Bosphore (la Mer Noire et la Méditerranée ne communiquant pas auparavant entre elles) et, plus tard, par suite, la fondation de Byzance. Pour Moreau, c'est sur le Bosphore que se seraient dressées les Colonnes d'Hercule. A l'entrée du Bosphore, mais, cette fois, du côté du Pont-Euxin. Moreau de Jannès place aussi l'Ile des Bienheureux (en grec *Makaron nêsos*) qui pourrait bien être celle où Mallarmé loge ses Archétypes, d'autant que Moreau de Jannès invoque le témoignage de Denys le Géographe pour établir la présence dans la Mer Noire d'une île sainte nommée Leuké (la Blanche) par Denys et qui était un lieu de retraite pour des âmes privilégiées.

Toutes ces traditions sur les pays de Haff et de Caff

nous ramènent au thème des Elohim puisque, suivant
Moreau de Jannès, dans ses *Temps mythologiques,* les
Arabes, tout en reconnaissant Adam comme le premier
homme, prétendent qu'avant lui soixante-dix Solimans
avaient régné dans la montagne de Caff, le pays des mer-
veilles. Ces Solimans commandaient aux Anges qu'on
nomme Péris, Djinns et Dives, lesquels se montraient fort
insoumis. Enfin, ne pouvant plus endurer leurs rébellions,
le Très-Haut se décida à créer l'homme et il ordonna aux
Anges de se prosterner devant Adam mais l'un d'eux, Eblis,
qu'on nomme aussi Lucifer ou Satan refusa de s'incliner.
Ceux des Anges qui prirent le parti d'Eblis le reconnurent
pour roi et firent la guerre à Adam comme aux descendants
de celui-ci.

M. Guyonvarc'h, rédacteur à la revue « de tradition
celtique » *Ogam* qui paraît à Rennes, a bien voulu me
communiquer un texte gallois qui serait emprunté aux
Triades de l'Ile de Bretagne et qui, d'ailleurs est sujet à
caution car il a été publié par un curieux personnage,
l'ouvrier maçon gallois Iolo Morganwg à qui est dû à la
fin du XVIIIe siècle la constitution d'un mouvement druidi-
que gallois et qui est un des plus remarquables truqueurs
de documents anciens qui aient existé. Peu nous importe
d'ailleurs pour notre étude actuelle si ces textes sont
authentiques ou non. L'important pour nous est qu'au
temps de Mallarmé, ces légendes aient circulé dans le
monde savant et y aient même été souvent admises comme
des réalités.

« Les trois piliers de la nation de l'Ile de Bretagne :
— note le texte gallois relevé par M. Guyonvarc'h dans
un volume édité en 1870 — Premièrement Hu Gadarn qui
fut le premier à pénétrer dans l'Ile de Bretagne avec la
nation des Cymry : ils venaient du Pays de l'Eté (Bro
yr Haf) c'est-à-dire là où se trouve Constantinople. Ils
passèrent par la Mer Sombre (Mor Tawch) dans l'Ile de
Bretagne et en Armorique (Llydaw) où ils s'établirent.
Deuxièmement Prydain... Troisièmement... Moelmard... »,
etc.

« Il est difficile de dire — note M. Guionvarc'h — si
l'expression Mor Tawch désigne la Mer Noire ou la Mer
du Nord. »

Cette tradition était, de toute façon, répandue en Bretagne avant le milieu du XIXᵉ siècle puisque, dans son poème : *Les Bretons,* Brizeux écrit, au chant III : (« *Les Bretons* » ont paru en 1845.)

> *La voix des temps passés ne dit point dans quel âge*
> *L'ancien peuple de Haff quitta son doux rivage*
> *Ni par quel grand malheur ce peuple rejeté*
> *Loin de la Corne d'Or, le Pays de l'Eté*
> *Où Byzance fleurit plus tard riche et fameuse,*
> *Se sauva vers le nord et sur la Mer Brumeuse.*
> *Une branche de gui brillait à leur drapeau.*

Brizeux ajoute dans ses notes que c'était bien Ho-Gadam qui les conduisait; que Bro-Haff était le « pays-de-l'Eté où fut autrefois Byzance » et il donne comme étymologie à Kimri « les premiers arrivés dans le pays ou les premiers dans la Confédération du pays ».

Toutes ces conceptions éparpillées dans de nombreux ouvrages techniques, Mallarmé eut le plaisir, vers 1885, de les découvrir rassemblées et codifiées de façon à s'emboîter les unes dans les autres, en un corps de doctrine, celui de la Théosophie qui apaisait la passion pour le positivisme transmise aux jeunes gens par la génération précédente tout en donnant satisfaction à leurs rêves.

Avant d'en venir à un rapprochement entre des textes théosophiques et le thème de *la Prose pour des Esseintes,* je voudrais me demander si Mallarmé n'a pas été, quoique moins nettement, guidé aussi par le souvenir de divers poèmes de Wordsworth tels que : *Ode on the intimations of immortality* où le poète anglais expose comment l'enfant apporte avec lui sur la terre des réminiscences du pays où il a vécu avant sa naissance et, en outre, s'il n'a pas été plus précisément influencé par *The Daffodils,* la pièce où Wordsworth exprime la volupté dont son cœur est empli quand, se sentant redevenir jeune et innocent, il communie avec le frémissement des jonquilles s'agitant dans le vent sur le bord d'un lac du Nord de l'Angleterre. Mallarmé n'était pas, j'en conviens, très documenté sur la littérature anglaise mais il me paraît inimaginable que, soit avant son baccalauréat, soit surtout lorsque, en Angleterre, il préparait son certificat de professeur, il n'ait pas lu les

Daffodils qui figurent dans tous les morceaux choisis scolaires. Justement parce que l'ensemble de la littérature anglaise ne lui était pas familier, les rares poèmes qu'il s'est trouvé obligé à étudier de près ont dû laisser sur lui une forte empreinte. Les asphodèles wordsworthiens ne sont pas des iridées (1) mais ils sont par milliers groupés au bord du lac d'Ullswater et c'est le même sursaut de joie qui s'empare des deux poètes en contemplant l'ondulation des fleurs. « Un poète — dit Wordsworth — ne pouvait que se sentir joyeux en aussi aimable compagnie. Je regardais et regardais encore mais je ne comprenais guère toute la richesse que ce spectacle m'avait apporté ». Et maintenant, voici la strophe de Mallarmé :

> *Gloire au long désir, Idées,*
> *Tout en moi s'exaltait de voir*
> *La famille des iridées*
> *Surgir à ce nouveau devoir* (2).

La présence d'une « sœur » auprès du poète dans la *Prose pour des Esseintes* peut avoir été suggérée, quoique ce soit plus douteux, par la présence à Ullswater, à côté de Wordsworth, de sa sœur Dorothée qui nous a laissé une description minutieuse en prose du bord du lac et des jonquilles que son frère avait admirées.

Ces analogies entre le poème de Mallarmé et celui de Wordsworth demeurent néanmoins assez lointaines ; il n'en

---

(1) Ce sont des liliacées, ce qui n'a pas d'ailleurs une très grande importance puisque, dans sa dixième strophe, Mallarmé lui aussi applique aux glaïeuls l'appellation de lys, comme il a fait dans l'*Après-midi d'un Faune.*

(2) Il est possible que l'idée première du poème *Apparition* ait été suggérée à Mallarmé par un poème de Wordsworth, description extasiée d'une femme et qui commence par :

> *She was a phantom of delight.*

Dans la première strophe de cette pièce se détache le mot : apparition (terme assez rare sous cette forme en langue anglaise) et avec un *A* majuscule. Je signale en passant que, dans les deux premiers vers de l'*Apparition* de Mallarmé, les « séraphins en pleurs » « rêvant l'archet au doigt » pendant la nuit viennent de *Ver vainqueur,* pièce d'Edgar Poe traduite en prose par Mallarmé. Relevons en passant que le mot « idée » est donné par Littré comme un synonyme d'archétype : « Idée, terme de philosophie. Type, modèle éternel des choses. Les idées de toutes choses sont en Dieu. Les idées de Platon, les archétypes qui, suivant le philosophe, sont les modèles des choses terrestres. »

est plus de même lorsque nous confrontons la *Prose pour Des Esseintes* avec les publications théosophiques. Dans divers manuels de théosophie, il est question du *Summerland*, le pays du Midi, la zone de l'éternel été, où résident les âmes. Un peu partout on découvre la trace, dans ces livres, d'une île voisine du site de Constantinople et où auraient subsisté les plus anciennes coutumes. Pour Mme Blavatsky (voir *Isis dévoilée*, p. 589) toute l'Asie centrale, dans les siècles antérieurs à Adam et à Eve était occupée au nord de l'Himalaya et de ses prolongements occidentaux par une vaste mer intérieure au sein de laquelle étincelait une île d'une inégalable beauté. C'est là que séjournaient les derniers survivants de la race qui a précédé la nôtre. Les hommes de cette race pouvaient vivre avec une égale facilité dans l'eau, l'air ou le feu car ces Préadamites disposaient d'un contrôle illimité sur les éléments. C'étaient les fils des dieux, les vrais *élohim* dont quelques initiés, et seulement en Asie, ont recueilli, quoique sous une forme extrêmement incomplète, les messages concernant l'origine des choses.

Le plus intéressant est que, pour les théosophes, le pays d'Eté n'est pas seulement une forme supérieure de Paradis Terrestre mais encore le lieu où sont réunis les archétypes des fleurs. Ainsi les théosophes sont parvenus à fusionner en une même notion synthétique les mythes platoniciens et des Idées et de l'Atlantide. Le sens du mot : archétype s'est d'ailleurs beaucoup transformé, depuis Platon. « Le mot : archétype — dit Mme Blavastsky, dans son chapitre sur *le Monde archétypal* dans sa *Doctrine Secrète* — ne doit pas être pris dans l'acceptation que lui donnent les platoniciens, c'est-à-dire comme le monde tel qu'il existait dans le mental de la Divinité mais dans le sens de premier modèle d'un monde qui devait être suivi et amélioré par les mondes qui lui succèdent physiquement quoiqu'ils fussent en dégénérescence du point de vue de la pureté (1). »

(1) Rabelais emploie le terme d' « archétype » mais ce n'est même pas dans le sens de « modèle ». L' « archétype » du Pape avec qui Pantagruel fait connaissance dans l'Ile des Papimanes n'est qu'une « vieille image peinte » devant laquelle les insulaires se prosternent, faute d'avoir le véritable pape à leur disposition. Il n'en reste pas moins que le point de départ de la page rabelaisienne est le mythe platonicien d'une ile des Archétypes.

Mais Mme Blavatsky ne nous fournit pas une description très minutieuse des archétypes tels qu'ils apparaissent dans leur île. Cette description est par contre très explicite dans la *Théosophie* de Rudolf Steiner et c'est elle qui nous permet de bien comprendre le thème central de la *Prose pour Des Esseintes*. Pour Steiner, le « Pays des Esprits » où viennent séjourner les âmes des morts après un stage d'épuration est aussi l'asile des archétypes dont les choses et les êtres ne sont sur cette terre que d'insuffisantes copies. Steiner insiste sur le fait que ces archétypes ne sont pas des abstractions mais jouissent d'une réalité beaucoup plus intense que les objets de l'univers matériel. Dans ce monde bergsonien des archétypes, tout est en état de création continue. Rien de statique puisque les archétypes sont, de leur nature, des êtres créateurs et qu'ils jouissent de la propriété de prendre des myriades d'apparences diverses (1). Steiner nous assure que ces archétypes ne se laissent pas seulement voir; on les entend car, d'eux s'élèvent dans l'air des carillons spirituels, transposition en langage théosophique du mythe platonicien de l'harmonie des sphères. Steiner aussi nous signale que, dans un autre lieu, existent les archétypes des minéraux et des animaux, encore que ce terme de lieu ne convienne guère car les mondes archétypaux s'interpénètrent, tous ces archétypes, quels qu'ils soient, étant des creux auxquels notre vision prête du relief pour que leur aspect reste accessible à nos sens.

Il est frappant de noter que Mallarmé toujours tiraillé entre son respect de la vérité scientifique et sa passion poétique n'ose pas prendre parti nettement pour l'hypothèse théosophique. La sœur « sensée et tendre », la Béatrice allégorique qui l'accompagne dans son voyage et qui doucement raille ses enthousiasmes, c'est la Science, l'esprit critique qu'il ne voudrait pas trop contrarier car « à l'entendre » le poète, élevé dans le culte du vrai « occupe

---

(1) Voilà, me semble-t-il, qui explique bien l'étonnement du poète désespérant de suivre les transformations incessantes des prototypes de fleurs qu'il avait sous les yeux :

> Ah sache l'Esprit de litige,
> A cette heure où nous nous taisons,
> Que de lis multiples la tige
> Grandissait trop pour nos raisons.

son antique soin ». Se refusant à faire revivre par des suppositions inconsidérées des civilisations problématiques et antérieures à Byzance, elle préfère se pencher sur l'histoire d'Anastase et de Pulchérie que démontrent d'incontestables parchemins et des pierres sépulcrales.

Ce qui m'incommode dans la recherche que j'ai ici entreprise et d'où, à mon avis, on peut cependant déduire sans hésitation (puisqu'elle éclaircit complètement toutes les obscurités du poème) que la *Prose pour Des Esseintes* est d'origine occultiste, c'est que les textes de Mme Blavatsky et surtout celui de Steiner, le plus convaincant, sont postérieurs à la composition de la *Prose pour Des Esseintes*. Il reste donc à découvrir les textes occultistes dont Mme Blavatsky et Steiner se sont eux-mêmes inspirés. La tâche est rendue difficile par le fait que tous deux ne donnent jamais de références, affirmant qu'ils ont écrit sous la dictée de messagers supra-terrestres. Il m'aurait été agréable de retrouver trace, chez les écrivains occultes du XVIIIe siècle ou du commencement du XIXe siècle, de cette description détaillée des archétypes que Steiner a exposée avec tant de clarté. D'autres, je le souhaite, seront plus heureux que moi mais je n'en suis pas très sûr. Beaucoup d'occultistes estiment en effet que leur devoir est de ne pas confier leur convictions aux imprimeurs, afin de les réserver à leurs pairs. C'est vraisemblablement par des voies orales ou manuscrites (les « grimoires » sur lesquels il revient sans cesse) que Mallarmé s'est instruit auprès des occultistes qu'il fréquentait. M. Drougard qui s'est spécialisé dans l'étude de Villiers de Lisle-Adam est, me dit-il, très porté à penser que Villiers s'est, en ce qui concerne l'occultisme, beaucoup plus documenté par des conversations que par des lectures suivies. C'est que, dans les journées et les nuits des symbolistes, les conversations tenaient une bien grande place. M. Chaboseau, directeur, actuellement, du *Lotus bleu,* revue de la Société Théosophique, m'a parlé des conversations interminables que son père, un des plus fervents occultistes du temps, avait et avec Mallarmé et surtout avec Villiers qui, comme Chaboseau habitait un rez-de-chaussée, venait avec lui la nuit bavarder pendant des heures en enjambant le rebord de la croisée. N'oublions pas que Mallarmé coupait bien rarement les pages des livres même écrits par ses amis : n'a-t-il pas déclaré qu'il considérait comme une indécence insigne de pénétrer d'un geste incongru de son coupe-papier, la virginité des ouvrages figurant dans sa bibliothèque? Oui, c'est de la bouche de ses amis occultistes que Mallarmé a bien probablement reçu les thèmes dont il a fait état dans la *Prose pour Des Esseintes*.

Et maintenant que nous savons les tendances générales de la pièce, passons à l'examen, strophe par strophe, du poème. Celui-ci commence par une invocation à l'hyperbole, terme que Littré résume en cette citation de La Bruyère : « L'hyperbole exprime au delà de la vérité pour ramener l'esprit à la mieux connaître. » C'est là la conception que Mallarmé se formait de la poésie parfaite qu'il opposait au réalisme parce qu'elle ne veut dépeindre que ce qui est essentiel dans le monde extérieur en n'en conservant qu'une image sans détails mais magnifiée. « Le mot, — dit Thibaudet — dans son strict sens étymologique, est là, pour indiquer, dès l'abord, l'ambition vaine de l'œuvre suprême. La poésie pure est hyperbolique, comme le doute premier de Descartes est dit par lui hyperbolique : idéal jeté au delà de toute possibilité pratique. L'art poétique que Mallarmé va indiquer est analogue à cette esthétique théâtrale dont le sujet est : « Le Monstre — qui ne peut être. » A la même époque, Carrière se décrivait comme « le visionnaire de la réalité » et Gauguin écrivait de Tahiti à Fontainas que, la nuit, il fermait les yeux « pour voir, sans comprendre, le rêve dans l'espace infini qui fuit devant moi », et ensuite traduire dans ses toiles les mystères fondamentaux de la Nature, mystères qu'il n'arrivait pas, en plein jour, à séparer suffisamment des apparences. De sa « mémoire », autrement dit de ses souvenirs décantés du réel, Mallarmé essaie de faire surgir ce que le peintre Sérusier appelait « l'image mentale » des objets, image bien différente de celle que nous apportent les sens.

Mais cette opération est bien difficile à accomplir; il faudrait au poète recréer en lui l'état d'âme primitif dont des légendes conservées dans de vieux livres (ce que Poe dans le *Corbeau* nommait « *forgotten lore* » et ce que Mallarmé désigne comme des « grimoires ») nous donnent la notion. Peut-être est-il possible, sans renoncer pour cela à la science, de retourner à de pareilles sensations. Là se manifeste la sympathie de Mallarmé pour la théosophie qui s'efforce de concilier le respect de la recherche scientifique avec l'émotion poétique en unissant tous les « cœurs spirituels » dans l'étude des « atlas, herbiers et rituels ».

Sur ce, Mallarmé imagine, lui qui a toujours eu le désir des voyages, qu'il s'est rendu en Orient et qu'il a entrevu le pays des Archétypes. Dans cette randonnée que lui ont accordée ses rêves, il n'était pas seul ; une femme l'accompagnait, femme qu'il appelle sa sœur. Quelques Freudiens se sont étrangement persuadés que Mallarmé avait pensé alors à sa sœur morte toute jeune et qui n'aurait cessé depuis, de le hanter. Kurt Wais, tout en admettant que l'hypothèse ne doit pas être complètement exclue, ne la juge pas cependant vraisemblable. Au temps de Mallarmé, « sœur », nous fait-il remarquer, était souvent synonyme d'amante. Villiers, dans *Isis*, dans *Axel* a employé les termes : « sœur sacrée » et « mon éternelle sœur ». Baudelaire, dans l'*Invitation au Voyage* dit : « Mon enfant, ma sœur », Dans le *Vin des amants*, Baudelaire encore murmure :

> Ma sœur, côte à côte nageant,
> Nous fuirons, sans repos ni trêves
> Vers le paradis de mes rêves.

Banville, le maître et l'ami de Mallarmé, fait le même usage du mot « sœur » dans une *Odelette à Zélie*. Dans *Frisson d'hiver* (Ed. de la Pléiade, p. 271) qui évidemment est adressé à sa femme dont il évoque l'origine allemande, Mallarmé lui-même l'appelle « ma sœur au regard de jadis ». A plusieurs reprises, et ceci est encore plus important car c'est probablement de Méry Laurent qu'il s'agit dans la « Prose pour Des Esseintes », il emploie le mot « sœur » pour confesser à Méry l'intensité de son amour. S'il n'était pas en compagnie d'une maîtresse, il ne déclarerait pas, en une phrase galante, qu'il a simultanément admiré les charmes de la femme et ceux des pays traversés.

C'est en s'appuyant sur le témoignage de son amie, corroborant le sien, que le poète prétend prouver l'authenticité du mirage qui leur a permis à tous deux de contempler au même moment l'île de l'éternel été, un été somp-

tueux auquel il donne ici le nom de « midi » quoique ce
site, couronné de glaïeuls gigantesques ne figure, il l'avoue,
sur aucune carte. Si, vraiment cette île existait, n'aurait-
elle pas été célébrée dans le monde entier par les «trompettes» de la Renommée, comme lieu de résidences
estivales : voilà ce que proclame la voix du bon sens quand,
naïvement, le poète raconte son rêve.

Quel est le sens de « ils » dans la cinquième strophe?
Mme Noulet pense que « ils » représente les cent iris.
C'est possible; je me suis aussi demandé si « ils » ne
s'appliquait pas de façon vague à tous les gens de bon
sens qui ne croient pas au rêve, aux ricaneurs de l' « ère
d'autorité ». Ne serait-ce pas un anglicisme de Mallarmé,
une manière de dire « on », correspondant à *they* » en
anglais?

Puis vient le récit de la « vision » ou de la « vue », si
l'on préfère puisque le spectacle fut si convaincant que le
poète en affirme la vérité. Sans qu'ils eussent besoin de se
consulter l'un l'autre, « sans que nous en devisions », ils
ont contemplé des archétypes de fleurs, chacune de ces
images se détachant de plus en plus large sur l'horizon.
Les contours de chaque objet étaient si nets qu'ils se déta-
chaient de l'ensemble du jardin avec un extraordinaire
relief. Ce n'est pas seulement la plante qui est visible mais
la

> *lacune*
> *Qui des jardins la sépara.*

Conception de l'objet en soi que Mallarmé expliquera
en prose sous une autre forme quand il nous décrira « la
fleur absente de tous bouquets ». Ce que le poète depuis
longtemps avait désiré se manifestait sous ses yeux; les
idées platoniciennes prenaient l'aspect concret dont les
livres de philosophie l'avaient entretenu.

Mais, alors, la compagne du poète qui n'est pas simplement son amante mais, comme dans la *Divine Comédie*
une sorte de Béatrice incarnant pour lui non point l'Eglise
mais la Raison et la Science, sourit ironiquement pour lui
rappeler qu'il ne doit pas se laisser entraîner trop loin
par ses rêveries. Tous deux, se taisant, se confessent *in petto*

que la vision est devenue un peu moins claire qu'elle n'était tout à l'heure.

Ils ne veulent pas pourtant s'incliner devant l'Esprit de Litige et entièrement renoncer à admettre la certitude du spectacle qui les a tous deux enthousiasmés. Ce que prouvent leurs hésitations, c'est uniquement que leurs facultés ne sont pas de taille à supporter plus d'un instant cette notion d'un monde absolu.

Il ne s'agit pas ici d'un phénomène comme le mouvement trompeur de la mer dont le jeu régulier « ment », c'est-à-dire nous induit en erreur. Je crois comprendre (mais la pensée et la syntaxe de Mallarmé sont très obscures dans les strophes 11 et 12) que l'écrivain s'attriste de constater que, même lorsque la mer recule, ni les cartes ni le regard du passant n'attestent la présence d'aucune île. Ce qu'on aimerait deviner, c'est si Mallarmé a transposé dans le bassin méditerranéen le souvenir du flux et du reflux qu'il avait vus à l'œuvre sur les côtes de Bretagne ou s'il a eu l'intention, au contraire, de dépeindre une masse d'eau qui ne change pas de place tout en offrant l'illusion d'un mouvement continuel.

C'est dans les deux dernières strophes : 13 et 14 que nous découvrons les allusions à Anastase et à Pulchérie, allusions qui deviennent moins étonnantes qu'elles ne l'étaient jusqu'ici puisque nous savons dorénavant que c'est sur l'emplacement de Constantinople que tout le poème est supposé se dérouler. Il est vraisemblable que « l'enfant », c'est-à-dire la jeune amante, lorsqu'elle est devenue « docte » et qu'elle « abdique son extase » a conseillé à Mallarmé de se détourner des légendes problématiques concernant l'époque antérieure à la création de Byzance; elle préférerait le voir étudier dans les archives l'histoire contrôlable de deux empereurs de Byzance, Anastase et Pulchérie qui se sont succédé sur le trône à peu d'années de distance. Le « trop grand glaïeul » sur lequel s'achève le dernier vers est l'archétype de fleur que le poète avait admiré dans l'île et derrière laquelle toute l'histoire réelle de Constantinople s'était effacée. Le mot « trop » ne doit pas nous surprendre puisque, dans le « Tombeau d'Edgar Poe » Mallarmé avait aussi, dans la première version du poème, employé « trop » devant « pur », pour augmenter la force de l'adjectif lorsqu'il avait écrit : « Donner un sens trop pur aux mots de la tribu ». Qu'on ne soit pas étonné non plus de vers mal venus comme :

> *Avant qu'un sépulcre ne rie*
> *Sous aucun climat son aïeul.*

Plus que par la préoccupation d'énoncer une doctrine originale, Mallarmé, dans ce poème en particulier, a été dominé par le désir de rimer richement; il fallait que « ne rie » réponde à « Puchérie » et « aïeul » à glaïeul.

Il est probable aussi que les noms d'Anastasie et de Pulchérie ont été amenés là à la suite d'une gageure. Anastase et Pulchérie étaient pour Mallarmé matière à plaisanterie puisque, dans sa « Prose pour Cazalis », de date incertaine, les mêmes personnages sont traités sans le moindre respect :

> *Et dans son extase*
> *Le soleil riant*
> *Fulgore Anastase*
> *C'est tout l'Orient*

> *Et que nul ne rie*
> *D'un rictus amer*
> *Fleuris Pulchérie*
> *Au bord de la mer.*

Mallarmé n'aurait certainement pas souhaité que ses admirateurs, fussent-ils les plus fanatiques, prissent au sérieux ce pastiche burlesque qui commençait par :

> *Le docteur oblique*
> *Fiche un camp piteux*

et qui s'achevait sur ce vers en un seul mot :

> *Laniqolacheur.*

Quel autre que Mallarmé aurait-il été capable de parodier aussi cruellement la *Prose pour Des Esseintes?*

Peut-être est-il absolument impossible de fixer le sens exact des dernières strophes du poème occultiste que nous avons tenté d'analyser et c'est l'occasion de répéter ici les paroles adressées par le poète à Léopold Dauphin. « Il se savait obscur pour autrui — dit Dauphin dans ses *Souvenirs sur Mallarmé* — autant que lumineux pour lui-même et ce dernier point était, pour lui, l'essentiel. « Pourvu que vous vous compreniez, vous — me disait-il souvent — et que, ce que vous venez de dire là, vous soyez sûr de l'avoir dit en beauté dans la forme d'art qui vous est chère parce que vous la croyez la plus belle, à quoi bon, dès lors, vous préoccuper de ce qui peut en résulter ! »

Notons, avant de passer à un autre poème que Mallarmé, quand il a écrit : « Toute fleur s'étalait plus large » a pu, comme l'a signalé Kurt Wais s'inspirer de plusieurs textes de ses contemporains : « La fleur s'ouvrit plus pure » de Banville dans les *Cariatides* ou le passage de la *Tentation de saint Antoine* par Flaubert où la Chimère s'adresse ainsi au Sphinx : « Je cherche des parfums nouveaux, des fleurs plus larges. »

Enfin remarquons que l'influence de Littré ne s'est pas exercée sur la *Prose pour Des Esseintes,* d'autant plus ténébreuse par moments que le poète n'était pas protégé de l'obscurité par la précision de Littré.

Chapitre XVII

UN POÈME SUR SAINT JEAN-BAPTISTE

CANTIQUE DE SAINT JEAN

Ce *Cantique de Saint Jean* n'a paru qu'après la mort de Mallarmé mais il est bien vraisemblable, comme le dit la note donnée par l'Edition de la Pléiade, qu'il ne date pas de la deuxième partie de la carrière poétique de l'écrivain. Probablement, il se rattache à la période de la composition d'*Hérodiade*. J'ajouterai qu'on n'y trouve aucune trace de l'hermétisme lié à l'influence de Littré. Je vais en parler cependant, d'abord parce que sa date reste imprécise et parce que ce chapitre nous permet de présenter ici un exemple très net de la place que Gustave Moreau a tenue dans la pensée de Mallarmé, tout comme on y distingue une fois de plus l'importance dans l'œuvre mallarméenne du mythe solaire.

Dans ce cantique qui a pour sujet la mort du Baptiste, Mallarmé, comme la fête de la Saint-Jean coïncide avec le solstice d'été, n'a pas manqué, dans la première strophe, d'évoquer l'apogée de l'ascension du soleil à cette date :

> Le soleil que sa halte
> Surnaturelle exalte
> Aussitôt redescend
> Incontinent.

La tête coupée du saint nous est dépeinte dans le poème comme effectuant dans le ciel la même montée que le soleil à la fin de juin. L'idée ici exprimée par Mallarmé d'un bout à l'autre du poème lui a été certainement dictée par *Apparition,* le tableau de Gustave Moreau, lequel s'intéressa lui aussi beaucoup aux diverses mythologies comme interprétations des phénomènes solaires. Le poème en effet est une description du tableau de Moreau où, pendant que Salomé danse, la tête coupée du Baptiste s'élève rayonnante devant les yeux fixes de la fille d'Hérode. A l'arrière-plan de la toile du peintre, on voit l'exécuteur de saint Jean, son sabre à la main, ce sabre devenu « une faux » dans le poème parce que Mallarmé songea sans doute à la courbure du cimeterre.

Le poème est très clair, à partir de l'instant où l'on admet, comme l'a fait Mme Noulet, que c'est la tête de Jean-Baptiste qui parle à la première personne et qui raconte ses sensations à la minute même de la décollation :

> *Je sens comme aux vertèbres,... etc.*

« Elle », c'est Salomé qui (et là, c'est le tableau de Gustave Moreau qui nous facilite la compréhension du *Cantique*) suit du regard la tête se déplaçant dans l'espace et monte vers le ciel glacé dans un halo de gloire.

Le poème s'achève, peut-être, sur l'affirmation que Salomé, en contemplant la tête coupée est, à son tour, saisie de la grâce; elle est baptisée par le sang du martyr et elle s'incline devant le Dieu qui a choisi saint Jean comme son messager. Relevons le dernier vers : « penche un salut », pencher étant transformé par Mallarmé en un verbe actif dont « un salut » est le complément direct. Le sujet de « penche » est « elle » (autrement dit Salomé) à qui s'applique aussi « illuminée », au féminin. Une autre interprétation également défendable serait que « ma tête » est le sujet de « penche un salut » et qu'illuminée s'applique aussi à « ma tête ». Ce qui favoriserait cette seconde interprétation, c'est que, dans le tableau de Gustave Moreau, la tête entourée d'une auréole est une tête inclinée et qui, par conséquent « penche un salut ».

Chapitre XVIII

UN POÈME ANTIMILITARISTE

PETIT AIR
GUERRIER

Ce *Petit air* qui a paru, pour la première fois, le 1ᵉʳ février 1895, dans la *Revue Blanche* est une fantaisie de tendances frondeuses et quelque peu antimilitariste.

« Hormis l'y taire », dans le premier quatrain, ne supporte pas, je crois, un mot à mot bien serré, l'idée, pour le poète, étant simplement d'obtenir, par un à peu près, une rime aussi riche que possible à « militaire ». « Je veux bien — dit Mallarmé — porter un pantalon rouge mais à condition de ne pas me déranger de chez moi et pourvu que ce soit l'éclat rougeoyant du foyer devant lequel j'écris qui fasse ainsi rutiler ma jambe. Evidemment, vous pouvez compter sur moi pour déjouer le risque d'invasion mais pourvu que je n'aie à me servir comme arme que de la baguette brandie le dimanche par le tourlourou dans ses gants de filoselle. »

Ce qui, je crois, explique ce passage de Mallarmé, c'est qu'il se souvenait d'avoir vu à Londres les soldats de carrière se promener, le dimanche, avec, à la main, la badine qui faisait partie de leur équipement. Je ne suppose pas en effet que, dans les régiments français, au temps de Mallarmé, la baguette ait été un élément du costume dominical. Cependant, je me rappelle que, pendant la guerre de 1914-18, le général Brissaud-Dumaillet, pour convaincre ses chasseurs à pied qu'ils appartenaient à un corps d'élite, les obligeait à porter, dans leurs cantonnements de repos, une baguette à la main, ce qui leur donnait une attitude martiale. Il leur recommandait même — m'a-t-on assuré — (comme il comptait sur leur succès féminins à l'arrière-front) de se promener, « la baguette à la main et un morceau de savon dans la poche. »

Si, à propos de baguette, Mallarmé emploie l'expression de « vierge courroux », c'est que, dans Littré, « vierge », au figuré, a des sens complètement opposés à celui de « guerrier ». Les « métaux vierges » sont ceux qui n'ont pas encore « passé par le feu »; un « parchemin vierge » est fait de la peau de jeunes agneaux; l' « épée vierge » est celle qui n'a pas encore été tirée du fourreau. Il est indifférent au poète que sa baguette de parade soit blanche ou ait conservé son écorce. Ce à quoi il tient, c'est à ne pas s'en servir contre les Allemands, sous-entendant qu'il préférerait fustiger certains ennemis de l'intérieur.

Peut-être Mallarmé, époux d'une Allemande et qui, par surcroît, a figuré comme témoin en défense de Fénéon, lors du procès des *intellectuels* (il avait même, pour impressionner les juges, arboré ce jour-là sa rosette de l'Instruction publique qu'il ne portait généralement pas) a-t-il été inquiété pour ses opinions. « À la fin, que me veut-on? », dit-il. Le 27 avril 1894, quand Fénéon a été inculpé d'opinions anarchistes et de recels d'armes, Mallarmé avait répondu à un rédacteur du journal *Le Soir* (V. la *Vie de Mallarmé* par Mondor) : « On parle, dites-vous, de détonateurs. Certes, il n'y avait pour Fénéon de meilleurs détonateurs que ses articles. Et je ne pense pas qu'on puisse se servir d'arme plus efficace que la littérature. » Et Mallarmé ajoutait : « J'ai été victime moi-même de cet état d'esprit lorsque, à la suite de quêtes faites à domicile pour des soupes-conférences, M. Clément est venu enquêter chez moi. »

L'obscurité du présent poème fut d'un grand secours à Mallarmé qui, s'il s'était exprimé en clair, aurait connu le sort de Rémy de Gourmont qui perdit son poste à la Bibliothèque Nationale pour avoir publié dans le *Mercure* en avril 1891 le *Joujou patriotisme* où, s'opposant à une guerre de revanche qui aurait eu pour but la reconquête de l'Alsace-Lorraine, il avait écrit : « *Personnellement*, je ne donnerais en échange de ces terres oubliées ni le petit doigt de ma main droite ni le petit doigt de ma main gauche. » Comme Laurent Tailhade et comme la plupart des collaborateurs à la *Revue Blanche* d'alors, Mallarmé était anarchisant en politique ou plutôt individualiste aristocratique car telle était la couleur des anarchisants de ce temps-là. La littérature antimilitariste à ses débuts a été l'œuvre d'intellectuels que révoltait l'application aux classes bourgeoises d'un service militaire obligatoire ; Barrès, Drumont y étaient hostiles et aussi Abel Hermant qui, en 1887, avait publié *le Cavalier Miserey.*

> *A la fin que me veut-on*
>
> *De trancher bas cette ortie*
> *Folle de la sympathie*

C'est sur ces trois vers que s'achève le poème. Il est difficile de certifier que, grammaticalement, « de trancher ras » dépende de « que me veut-on » ou bien de « menace » qui termine le vers précédant « A la fin que me veut-on ». Mais le sens général reste le même. A-t-on peur — se demande Mallarmé — que, d'un mouvement irrité de ma baguette, je cherche à raser les plantes méchamment parasites qui s'opposent à la croissance des relations amicales entre nations?

Chapitre XIX

LES POÈMES SUR LA CHEVELURE

Un des thèmes féminins les plus fréquents de Mallarmé est la chevelure à laquelle il revient sans cesse, lui attribuant des vertus particulièrement aphrodisiaques. Sur cette question, Camille Soula a composé toute une brochure : *le Symbole de la Chevelure*. Aussi me contenterai-je de rappeler rapidement quelques-uns des poèmes où Mallarmé mentionne la chevelure.

« Le Château de l'Espérance » débute par :

> *Ta pâle chevelure ondoie*
> *Comme folâtre un blanc drapeau*
> *Parmi les parfums de ta peau*
> *Dont la soie au soleil blondoie.*

Dans la même pièce, le poète se représente comme

> *...déroulant ta tresse à flots.*

Dans *Apparition*, c'est la luminosité des cheveux qui constitue la principale source de beauté dans le poème :

> *Quand, avec du soleil aux cheveux dans la rue*
> *Et dans le soir, tu m'es en riant apparue*
> *Et j'ai cru voir la fée au chapeau de clarté...*

C'est dans *Placet futile* que se rencontre le vers :

> *Blonde dont les coiffeurs divins sont des orfèvres!*

« Je ne viens pas ce soir », déclare-t-il à une prostituée, dans *Angoisse* :

creuser

> *Dans tes cheveux impurs une triste tempête*
> *Sous l'incurable ennui que verse mon baiser.*

Les cheveux sont à l'honneur encore dans *Tristesse d'été* :

> *Le soleil, sur le sable, ô lutteuse endormie,*
> *En l'or de tes cheveux chauffe un bain langoureux.*

Plus loin, dans le même poème, Mallarmé déclare :

> *Mais ta chevelure est une rivière tiède*
> *Où noyer sans frissons l'âme qui nous obsède*
> *Et trouver ce Néant que tu ne connais pas.*

Le « parfum des cheveux endormis » se retrouve dans l'incantation de la nourrice d'Hérodiade et tous les plus beaux vers du reste du poème sont voués à la description de la chevelure virginale :

> *Le blond torrent de mes cheveux immaculés*
> *Quand il baigne mon corps solitaire le glace*
> *D'horreur...*

et encore

> *Je veux que mes cheveux qui ne sont pas des fleurs*
> *A répandre l'oubli des humaines douleurs*
> *Mais de l'or, à jamais vierge des aromates*
> *Dans leurs éclairs cruels et dans leurs pâleurs mates,*
> *Observent la froideur stérile du métal...*

On n'aura pas oublié non plus, le « splendide bain de cheveux » dans *l'Après-midi d'un faune*.

Maintenant, à la lumière de ces passages extraits des œuvres de la première période, nous allons examiner plus en détail quelques-uns des poèmes (de la période hermétique) où la chevelure tient le principal rôle.

LA CHEVELURE

Etudiant dans le journal parisien *Rolet* l'influence des Félibres sur Mallarmé, M. Horace Chauvet, sans avoir lu, me dit-il, l'article ayant trait au même sujet et publié par M. Léon Teissier dans *Marsyas* en 1945, avait été, comme lui, frappé des ressemblances existant entre *le Pâtre* d'Aubanel et le *Faune* de Mallarmé. Mais M. Chauvet, dans son article de *Rolet* a, en outre, attiré très heureusement l'attention sur une analogie autrement frappante entre *la Chevelure* de Mallarmé et un poème en provençal de Bonaparte-Wyse : *la Chevelure d'Or* qui avait paru dans la *Revue des Langues Romanes* en 1876.

Il y a d'ailleurs plus qu'une parenté entre les deux poèmes. Tous deux procèdent d'un fait matériel qui s'est produit en 1874 dans la petite ville si pittoresque des Baux en Provence. Cette année-là, en fouillant une tombe qui fut alors considérée comme datant du Moyen Age, on y découvrit un squelette de femme dont la chevelure blonde était demeurée merveilleusement intacte. Pendant plusieurs années, elle fut exposée dans un hôtel du bourg, l'hôtel de Monte-Carlo qui prit, à ce moment, le nom de *Café de la Chevelure d'Or* et, à l'entrée de l'établissement, la chevelure fut suspendue en plein air pour servir d'enseigne. Depuis lors, elle a été transportée au Musée Arlaten où elle figure encore comme document folklorique.

C'est sur ce thème d'une chevelure survivant au reste du corps que Bonaparte-Wyse a écrit en 1876 un poème en langue provençale intitulé *La Cabeludara d'Or* avec cette traduction française : « O trésor de bon augure (*benastrata* (1)) ! O relique d'or roux ! Chevelure sainte ! Tresse superbe ! Petites ondes caressantes, parfumées de joie et d'étrange beauté !... Que la ville des Baux, perchée sur ses roches, te montre fièrement comme une lumière de phare pour de longues années ! » Une autre traduction, accompagnant le texte provençal, a été donnée par Julian

---

(1) Cf. ce que nous avons dit à propos du *Tombeau* d'Edgar Poe où Mallarmé s'est servi du mot « désastre » en recourant à l'étymologie fournie par Littré.

et Fontan dans leur *Anthologie du Félibrige provençal*
(Delagrave, 1924). Les auteurs de ces Morceaux choisis
avaient élaboré une traduction nouvelle parce que, ne
s'étant pas reportés au numéro des *Langues romanes,* ils
ignoraient qu'il existait déjà une traduction française due
au poète provençal lui-même. Le texte provençal auquel
Julian et Fontan s'étaient probablement référés, c'était
celui que Bonaparte-Wyse avait publié à Plymouth en 1882
dans un recueil qu'ils mentionnent dans leur Anthologie et
qui était intitulé *Li piado de la Princesse* (Les Traces des
pas de la Princesse), la Princesse étant, dans le recueil,
une personnification de la Provence.

Bien curieuse destinée que celle de ce Bonaparte-Wyse,
petit-fils de Lucien Bonaparte mais surtout d'origine irlan-
daise, son père étant Sir Thomas Wyse, ambassadeur
d'Angleterre, qui appartenait à la vieille famille des Wyse
de Waterford. Bonaparte-Wyse, s'étant, par hasard, en
1859, arrêté à Avignon, y fit la découverte de la littérature provençale. Ayant pris contact avec les Félibres, il
désira être classé lui aussi comme félibre; à plusieurs
reprises, il participa à leurs fêtes; il organisa même en 1867
la félibrée de Font-Ségugne au cours de laquelle, pendant
trois jours, il invita à de somptueux banquets trente poètes
de la région. Mais il ne s'agissait pas seulement pour lui
d'un caprice de mécène; ses poèmes provençaux restent
parmi les meilleurs de ceux qui virent alors le jour.

Pour en revenir à Mallarmé qui avait été adopté comme
un des leurs par les hommes du Félibrige, Bonaparte-
Wyse eut plusieurs fois l'occasion de rencontrer l'auteur
de *l'Après-midi d'un Faune,* comme de correspondre avec
lui. Il est donc tout naturel que Mallarmé ait été tenu au
courant et de l'exhumation du squelette en 1874 aux Baux
et aussi de la publication de *la Chevelure d'Or* par Bonaparte-Wyse.

Nous avons dit avec quelle passion Mallarmé a toujours
traité de la chevelure féminine; dans le cas qui nous
occupe, l'incident était pour lui d'autant plus intéressant
que la chevelure des Baux était rousse, rousse comme la
crinière de Méry Laurent.

Dès que l'on sait quel a été le point de départ du sonnet
de Mallarmé, le poème devient extraordinairement clair.

13

C'est en 1887 que, pour la première fois, *la Chevelure* de Mallarmé a paru dans *l'Art et la Mode*, insérée dans le corps d'un poème en prose (*la Déclaration foraine*). Mais nous ignorons à quelle date exacte le poème a été composé.

Quand, dans le premier quatrain, le poète nous représente la chevelure qui

> *se pose, je dirais mourir un diadème,*
> *Vers le front couronné, son ancien foyer,*

l' « ancien foyer » est certainement la chair disparue de ce front vers lequel venait se replier l'extrémité de la chevelure, lors de l'exhumation de la morte. Quant aux termes de « couronné » et de « diadème » ils sont évoqués dans l'esprit de Mallarmé par la théorie alors admise en Provence que le squelette devait être celui d'une princesse, peut-être même de la reine Jeanne des Baux.

Tout le reste du poème a d'ailleurs pour thème cet étrange miracle qu'une chevelure ait pu ainsi survivre à la décomposition du reste du corps.

Quant à la formule : « Occident de désir », dans le deuxième vers, il n'y a pas de doute que cette association chez Mallarmé des mots « occident » et « désir » a pour origine les vers d'un poète du XVIe siècle, Desportes, que Mallarmé a trouvés, comme citation, dans Littré, à la rubrique : « occident » :

> *L'espoir de mes travaux, la fin de mon désir,*
> *Par un cruel orage, hélas! va se perdant*
> *Et, dès le point du jour, je vois mon occident*
> >   (*Diverses amours. XL. Complaintes*
> >   *pour le Duc d'Anjou.*)

C'est, suivant Mallarmé, quand les désirs sont arrivés à leur paroxysme que l'amant éprouve le besoin de déployer entièrement la chevelure de l'aimée et de la replier sur elle-même pour assouvir sur elle sa passion. « Occident de désir » a été calqué par Mallarmé sur les expressions : « occident d'été », « occident d'hiver », termes d'astronomie qui sont mentionnés par Littré. Le mot d' « occident » devait être d'une agréable sonorité pour Mallarmé car c'est aussi un terme d'alchimie désignant la première

teinte du grand œuvre réalisé par les chercheurs, c'est-à-
dire la couleur noire.

Mais — dit le second quatrain :

> *Mais sans or soupirer que cette vive nue*
> *L'ignition du feu toujours intérieur*
> *Originellement la seule continue*
> *Dans le joyau de l'œil véridique ou rieur*

Ce que, en gros, Mallarmé expose dans ce second quatrain, c'est que nous ne devons pas regretter que la dernière
image subsistant de la femme dans l'œil du regardant
(que ce regard soit ou ingénu ou sceptique) puisse être
une survivance, localisée dans la chevelure, du feu intérieur
dont la femme, quand elle était vivante, était tout entière
embrasée.

« Soupirer que » doit bien signifier en effet « regretter
que », étant donné que l'expression elliptique « soupirer
que » est enregistrée par Littré comme une forme équiva-
lente à « regretter que » dans la langue du XVIIe siècle. La
citation fournie par Littré est empruntée à Mme de Sévi-
gné : « Nous sommes ravis de le voir — dit la marquise —
et nous soupirons que vous n'ayez pas le même plaisir. »

Pourquoi « sans or »? C'est que le regardant s'étonne de
ce que la chevelure ait pu aussi miraculeusement se conserver, bien qu'elle ne contienne pas un or véritable, cet or
qui, dit-on, est la seule substance incorruptible.

Quant à « vive nue », comme périphrase pour chevelure,
elle ne surprend pas de la part de Mallarmé qui compare
toujours les cheveux de la femme à un nuage. Dans *Quelle
soie*, nous allons le voir parler à l'amante de

> *la torse et native nue*
> *Que hors de ton miroir tu tends.*

Le terme « originellement » est, dans le troisième vers
du quatrain, très voisin comme sens de l'épithète « native »
que nous venons de voir. Originel en effet n'est pas seulement un vocable inséparable de la notion de péché : Avant
de tomber dans le péché, Adam — nous signale Littré —
avait connu la grâce originelle qui était même plus complètement originelle que n'allait être son péché puisque, cette
grâce, il l'avait reçue dès sa naissance.

Notons encore que « continue » n'est pas un adjectif mais un verbe ayant pour sujet « vive nue », et pour complément direct l' « ignition ». Schérer, dans sa thèse sur la syntaxe de Mallarmé refuse de lier l'examen de cette syntaxe à la signification des phrases, sous prétexte que Soula considère « continue » comme adjectif tandis que Mme Noulet y voit comme moi-même un verbe. Mais Soula, dans ses interprétations, ne procède que par intuition, tandis que Mme Noulet qui s'appuie sur le raisonnement, est un guide autrement sûr, même si l'on tient compte du fait que la clé Littré n'était pas entre ses mains.

Tout ce second quatrain, résumant les absurdes regrets d'un spectateur incompréhensif en face du miracle, sert de sujet au verbe : « diffame » qui apparaît dans le premier vers du troisième quatrain. Ne pas prendre l'événement au sérieux, c'est diffamer les possibilités de la femme.

« Une nudité de héros tendre », placée, en une sorte d'apposition à l'ensemble du quatrain précédent, ensemble formant sujet, s'applique, à mon avis, à l'incompréhension d'un homme qui, uniquement hanté de préoccupations sexuelles, ne conçoit la femme que comme exclusivement destinée à l'étreinte charnelle et aux mièvreries de la sensibilité. N'oublions pas que Littré donne à héros le mot « *vir* », le mâle, comme étymologie et que c'est dans le sens de mâle que Mallarmé va l'employer dans le poème érotique « M'introduire dans ton histoire » que nous commenterons dans le chapitre suivant. Le mâle, grossièrement épris et qui ne rêve que de nudité ne perçoit pas tout ce qu'il y a de magnifique dans l'exploit de l'être féminin parvenant à se résumer, une fois morte, en cette chevelure dont l'éclat persiste jusque dans la tombe, même après que les doigts ont été dépouillés de toutes leurs bagues.

De la femme des Baux, le poète dit, dans ses trois derniers vers, qu'elle

> *Accomplit par son chef fulgurante l'exploit*
> *De semer de rubis le doute qu'elle écorche*
> *Ainsi qu'une joyeuse et tutélaire torche.*

Ce que Mallarmé entend par là, c'est, m'apparaît-il, que

la survivance de cette chevelure rousse (chef étant pris ici dans son sens ancien de : tête) nous aveuglant de ses rubis devrait égratigner nos doutes sur la possibilité d'une autre existence; cette « vive nue » est une joyeuse torche qui projette sur l'au-delà une lumière réconfortante.

VICTORIEUSEMENT FUI LE SUICIDE BEAU

Le poème qui commence par *Victorieusement fui le suicide beau* n'implique pas du tout comme l'ont cru certains exégètes un désir de suicide du poète; le suicide dont il est question est le suicide quotidien du soleil. C'est ce suicide du soleil que Mallarmé décrit dans le vers suivant :

Tison de gloire, sang par écume, or, tempête!

en songeant vraisemblablement aux flammes entourant Hercule sur son bûcher, Hercule qui, dans *les Dieux Antiques* est aussi signalé comme une personnification du Soleil. Voici comment, dans *les Dieux antiques,* est décrite la mort d'Hercule. « Le dieu mourut au milieu du tonnerre et de l'orage... Cette scène magnifique a un sens profond; — reconnaissez le dernier incident de ce qui a été plus haut appelé la Tragédie de la Nature — la bataille du Soleil avec les nuages qui se rassemblent autour de lui, comme de mortels ennemis, à son coucher. Comme il s'enfonce, les brumes ardentes l'étreignent et les vapeurs de pourpre se jettent par le ciel, ainsi que des ruisseaux de sang qui jaillissent du corps du mythe; tandis que les nuages violets couleur du soir semblent le consoler dans l'agonie de sa disparition. »

Mais cette mort du Soleil n'est qu'une mort apparente; la pourpre dont il s'enveloppe n'entoure qu'un tombeau vide :

*O rire si là-bas une pourpre s'apprête
A ne tendre royal que mon absent tombeau*

Une fois le soleil disparu à l'horizon et les ténèbres venues, il ne subsiste plus au ciel le moindre reflet de sa splendeur. Pour le poète seul un nouveau coucher du soleil s'allume dans la chambre qu'illumine la chevelure rousse de

sa maîtresse, chevelure qui garde encore quelque chose du
« ciel évanoui ».

En passant, mentionnons que « ciel évanoui » vient bien
probablement de Delille par l'intermédiaire de Littré. Au
mot « évanoui » dans Littré, nous trouvons en effet cette
citation de Delille : « Les cieux évanouis se perdent dans
leurs cieux. »

Un mot qui prête à équivoque, c'est le possessif « mon »
dans « mon absent tombeau ». Est-ce parce que le poète,
disciple d'Apollon, s'identifie quelque peu au Soleil dont
il est le fils et considère par suite le cénotaphe du Soleil
comme une sorte de bien de famille? Dans une variante du
même poème que publie (p. 1481) l'Edition de la Pléiade,
« mon » ne s'applique plus au tombeau du Soleil mais, au
contraire s'y oppose :

> *Toujours plus souriant au désastre plus beau,*
> *Soupirs de sang, or meurtrier, pâmoison, fête!*
> *Une millième fois avec ardeur s'apprête*
> *Mon solitaire amour à vaincre le tombeau.*

Que le suicide soit bien le suicide du Soleil et non celui
du poète est bien encore prouvé par cette autre variante
de la même strophe :

> *Une millième fois sur l'horizon s'apprête*

Ce tombeau se dressant « sur l'horizon » ne peut être que
celui du soleil couchant.

Dans « Ses purs ongles très hauts », le Soleil n'est pas
nommément désigné mais c'est à lui que pense le poète
quand il parle du « Phénix », cet oiseau qui incendiait
lui-même son nid et renaissait de ses cendres. Dans les
Dieux Antiques, Mallarmé classe le Phoenix parmi les
symboles du soleil, en se référant à son étymologie.

La dernière partie du poème ne nécessite pas une exégèse
puisque c'est la description d'une belle amante. C'est d'une
compréhension plus aisée encore que le « clair matin de
roses se coiffant » chez Samain puisque c'est une femme
de chair que Mallarmé nous représente ici comme coiffée
de roses, les roses étant une chevelure blonde ou rousse.
Celle de Méry Laurent, dira-t-on! Pas exactement. Le
Dr Bonniot nous révèle en effet (*Revue de France*, 15 avril

1929) que les deux derniers vers du Sonnet se rencontrent
déjà dans une des ébauches de l'*Ouverture* d'*Hérodiade* et
par conséquent datent d'une époque où le poète ne connaissait pas encore Méry Laurent. C'est parce qu'il pensait
alors à une princesse d'Orient qu'il a écrit, songeant à une
tête de jeune souveraine posée sur des coussins :

> *Comme un casque guerrier d'impératrice enfant*
> *Dont pour te figurer il tomberait des roses*

Méry Laurent, sans s'en douter, s'est régalée ce jour-là
des reliefs du repas d'Hérodiade.

QUELLE SOIE AUX BAUMES DU TEMPS

C'est un jour de 14 juillet que doit se dérouler ce poème.
L'auteur étreint sa maîtresse, cependant qu'au dehors défi-
lent des drapeaux de régiments. Il ne s'agit pas en effet de
drapeaux ornant les fenêtres; ce ne seraient pas des drapeaux troués. L'expression de « drapeaux méditants »
convient très bien à ceux qui se dressent aux poings des
porte-drapeaux; ils « penchent un salut » et en même temps
ils « s'exaltent » puisqu'ils sont au dessus de la foule. Bref,
ils sont exactement dans les mêmes conditions que la tête
coupée du saint dans le tableau de Gustave Moreau et
dans le « Cantique de saint Jean » puisque cette tête en
même temps s'exalte et « penche un salut ».
Je me suis demandé si, dans la première strophe (où les
drapeaux ne sont pas encore mentionnés), la

> *soie aux baumes de temps*
> *Où la Chimère s'exténue*

ne serait pas, malgré la majuscule de Chimère, une périphrase à la Delille pour le cachemire, très à la mode à
cette époque. Car Littré donne chèvre comme sens étymologique de chimère et je crois, comme je l'ai dit plus haut,
que chimère a le sens de chèvre (la chèvre Amalthée) dans
« Surgi de la Croupe et du Bond ». Ici, ce qui m'incline à
cette supposition, c'est que le cachemire était fabriqué avec
des poils très minces d'une espèce particulière de chèvres
du Thibet. Des poils « exténués », ce pourrait bien être

des poils d'une extraordinaire minceur. De plus, Mallarmé a parlé avec enthousiasme des cachemires dans la revue de modes qu'il dirigeait. N'est-il pas vraisemblable que Mallarmé ait pris plaisir à s'interroger ainsi en son langage sybillin : quel est le cachemire assez doux, même si c'est un cachemire très ancien, pour pouvoir rivaliser avec la chevelure de ma bien-aimée?

Quant à la fin du poème, j'avoue qu'il est susceptible de plusieurs interprétations suivant qu'on l'imprègne d'un érotisme plus ou moins ardent. Nous avons déjà vu et nous le verrons avec plus d'évidence encore quand nous en arriverons à l'exégèse des poèmes plus strictement érotiques, que Mallarmé considérait le coït comme un acte hautement répréhensible et foncièrement immoral. D'autre part, je suis troublé par la présence dans le poème du mot « diamant » qui, pour Mallarmé, admirateur de tout ce qui est « inutile » symbolise respectueusement l'inutilité, la stérilité et l'impuissance. Mallarmé qui haïssait le coït comme un geste bassement « utile » puisqu'il avait pour but la reproduction de l'espèce n'a-t-il pas identifié le diamant dans ce poème avec une émission séminale préférant la chevelure au sexe féminin comme champ d'action? De toute manière, la perte de semence, quelque agréable qu'elle puisse lui être, est considérée par le poète comme une infraction à son devoir d'écrivain qui serait de ne pas gaspiller sa substance cérébrale dans des divertissements amoureux et de la réserver entièrement à des créations littéraires qui assureraient à l'écrivain une gloire éternelle.

Chapitre XX

LES POÈMES ÉROTIQUES

M'INTRODUIRE DANS TON HISTOIRE

Ce poème, paru dans la *Vogue* en 1886 mérite une étude particulière. C'est une œuvre nettement érotique, tout en excluant, comme les autres, l'acte sexuel proprement dit. Mais sa signification a, jusqu'ici échappé aux critiques parce qu'ils ne saisissaient pas que l'interprétation à donner aux mots d'innocente apparence était conditionnée par le recours aux étymologies ou aux définitions offertes par Littré. Non point que je veuille donner, comme d'autres l'ont fait, une interprétation sexuelle à ce premier vers.

Il était, en effet naturel que le lecteur fût tenté de discerner dans les mots : « introduire » et « histoire » des allusions équivoques; je suis persuadé même qu'en écrivant ces vers, Mallarmé a eu l'intention de nous lancer sur une fausse piste; c'est une habitude de chez lui — ont remarqué et H. Charpentier et Schérer — de tendre des « pièges » à ses contemporains, en se gardant bien ensuite de les détromper. Sûrement, il ne peut s'agir ici de coït, puisque cette notion est absente de l'esprit de Mallarmé.

Histoire, étymologiquement, d'après Littré, signifie : connaissance générale. Si je veux acquérir — dit le poète à sa maîtresse — une connaissance générale et complète de ta personne, voici comment je devrai procéder. C'est, poursuit-il

> *C'est en héros effarouché,*
> *S'il a du talon nu touché*
> *Quelque gazon de territoire.*

Puisque l'amant touche de son talon nu l'herbe du jardin dans lequel il se trouve, c'est qu'il est partiellement au moins dévêtu et qu'il est étendu sur le dos à même le sol. Opinion fortifiée en nous par la consultation de Littré qui donne à « héros » comme étymologie *vir*, le mâle.

Quant au terme effarouché, l'examen minutieux du Littré sur ce point m'a, je l'avoue, fait sursauter, car je ne m'y attendais point du tout. A vrai dire, ce n'est pas l'étymologie, cette fois, qui est en cause. Mallarmé, quand l'étymologie ne le favorisait pas, recourait, comme font les fabricants de mots croisés, à des sens rares du vocable qu'il avait choisi. Or, Littré nous apprend que, dans le vocabulaire du blason, « effarouché » s'applique à un animal « particulièrement un chat » lorsqu'il est cambré sur les pattes de derrière. La posture dans laquelle le poète se dépeint donc ici est celle d'un homme *mulieris pudenda lambens, felis ritu resupinus,* puisque me voici réduit à parler latin pour exprimer toute ma pensée; mais au fond cette position est-elle si différente de celle du satyre dans l'*Après-midi d'un Faune?* Elle est même moins compliquée.

Certains avaient supposé (toujours le piège!) que « gazon » pouvait avoir ici un sens sexuel. Pas du tout puisque Mallarmé a pris la précaution d'insister sur ceci que le gazon dont il parlait était un authentique gazon : « un gazon de territoire ».

Le vers suivant est :

A des glaciers attentatoire,

Mallarmé entendant par là (puisque la peau féminine se traduit chez lui par des expressions telles que des lis, des roses et des glaciers) que si la femme, au lieu de l'homme, avait été couchée nue à même le sol, la blancheur éblouissante de sa chair aurait été forcément salie.

> *Je ne sais le naïf péché*
> *Que tu n'auras pas empêché*
> *De rire très haut sa victoire.*

Maintenant nous retrouvons le voluptueux hennissement déjà consigné par Mallarmé dans l'*Après-midi d'un Faune.*

Les deux tercets expliquent comment, tout en se livrant à ses ébats amoureux, ébats qui ne risquent pas cependant de le rendre père, le poète regarde au-dessus de lui dans le ciel le coucher du soleil :

> *Dis si je ne suis pas joyeux*
> *Tonnerre et rubis aux moyeux*
> *De voir en l'air que ce feu troue*
>
> *Avec des royaumes épars*
> *Comme mourir pourpre la roue*
> *Du seul vespéral de mes chars.*

Le poème s'achève sur une note ironique : le poète est trop désargenté pour s'offrir, le soir, une promenade en voiture au Bois; le seul char à sa disposition, c'est le char du Soleil.

Fénéon, dans le *Bulletin de la Vie artistique* a raconté (et j'emprunte cette anecdote à la *Vie de Mallarmé* par le Professeur Mondor) que Féroul, le maire de Narbonne, à la fois médecin et député, avait fait souscrire dans son arrondissement plusieurs abonnements à la revue *La Vogue*. « Le soir du 14 au 15 juin, — dit Fénéon — quand arrive à Narbonne le sonnet de Mallarmé dont le premier vers est *M'introduire dans ton histoire* et le dernier : *du seul vespéral de mes chars,* les conversations de café s'en emparent et le dernier vers se grave dans les mémoires. Dès le lendemain, on ne dira plus d'un événement ou d'un spectacle insolite : « C'est épatant » mais « C'est très vespéral de mes chars ». Le dicton va persister, condensé en un groupe de syllabes rituelles et, aujourd'hui encore, devant quelque prodige, paysans, ouvriers, marins de Cuxac, Ginestas, Capendu, Ménorignan, Capestang ou La Nouvelle, se frappent la cuisse et tonitruent : « Speraldemechar! » Ils auraient dit « Speraldemechar! » avec encore plus de gaîté s'ils avaient su quelle était la signification réelle du sonnet.

MES BOUQUINS REFERMÉS
SUR LE NOM DE PAPHOS

Cette pièce a été publiée pour la première fois en janvier 1887. « Ceci — dit Charles Mauron — est la simple expression d'une rêverie au moment où tout ramenait Mallarmé à ses obsessions, — la suprématie de l'imaginaire sur le réel, du possible sur ce qui fut, de l'absence sur la présence... La rêverie a lieu au coin du feu et elle est suggérée par le mot Paphos sur lequel le lecteur a refermé le livre et qui lui fait songer à un temple grec au bord de la mer. »

Mallarmé dit, dans le premier quatrain et sous forme d'un ablatif absolu, qu'il vient de refermer ses livres sur le nom de Paphos; il lui plaît alors, à force de « génie », c'est-à-dire d'imagination (*ingenium*) de faire surgir, entre toutes les ruines antiques dont la silhouette lui est familière, le temple, à Paphos, d'Anadyomène qui est née, comme on sait, de l'écume de la mer. Le monument se dresse devant lui tel qu'il était, au temps de sa splendeur. L' « hyacinthe » est peut-être, comme le suppose Mme Noulet l'étoffe d'hyacinthe qui, autrefois, ornait les sanctuaires, à moins qu'il ne s'agisse des fleurs d'hyacinthe décorant le parvis du temple. Etant donné le second quatrain, je pencherais plutôt pour les jacinthes en fleur.

Je ne me lamente pas du tout — poursuit en effet le poète dont l'hiver est la saison préférée — si, l'hiver une fois venu, le parvis a perdu ses parterres et si la neige « ce blanc ébat » a privé le paysage de sa beauté conventionnelle.

Ce que les gourmands apprécient surtout dans l'été — note-t-il dans le premier tercet— c'est le goût des fruits qu'il apporte avec lui mais ce que le poète leur préfère, ainsi montrant le raffinement de sa culture, c'est la saveur des appas féminins :

> *Qu'un éclate de chair humain et parfumant*

Ce fruit de chair, c'est le sein de la femme, « le fruit qui ne se consomme », comme il l'a dit dans d'autres « Vers de circonstance » et voilà comment, dans le dernier tercet nous le voyons assis auprès du foyer conjugal, les pieds sur des chenets en forme de guivre et laissant son rêve courir éperdument

> *A l'autre, au sein brûlé d'une antique amazone.*

Car Paphos, ayant été fondé par les Amazones fait jaillir en lui l'idée de ces guerrières qui se brûlaient un sein pour pouvoir mieux tirer de l'arc. Une des étymologies

d' « amazone » proposées, sans conviction, il est vrai, par
Littré était *a*, privatif, et *ma{zos*, mamelle. Au « docte »
qu'était Mallarmé, ce sein inaccessible puisqu'inexistant,
apparaissait plus séduisant encore (tout au moins en tant
que thème poétique) qu'un sein absolument réel.

DAME, SANS TROP D'ARDEUR...

Il existe de ce poème deux versions principales : l'une
datée du 1ᵉʳ janvier 1888, l'autre parue le 26 février 1896.
Un manuscrit de la collection du Professeur Mondor et qui
porte la date du 1ᵉʳ janvier 1888 est le texte qui, suivant le
Triptyque de France par Robert de Montesquiou, a été
déposé chez Méry Laurent le 31 décembre 1887. C'est à la
version de 1896 que nous nous référerons ici.

Méry a dépassé maintenant l'âge de la ménopause et le
poète, à l'occasion de la nouvelle année lui rappelle que
leur amour ne pourra que devenir plus fort entre eux à
mesure qu'il se spiritualisera davantage. Elle n'a plus
actuellement cet excès d'ardeur qui, autrefois, enflammait
sa « rose ». Et il faut bien que nous constatons que « rose »
n'est pas pris cette fois dans le sens de bouche comme
dans la pièce que nous allons étudier après celle-ci. Indubitablement, Mallarmé a pensé ici au sexe même de la
femme, tout comme a fait Ronsard dans ses *Folastreries*
(IV) quand il a dit d'une de ses maîtresses :

> *Et son petit cas barbelu*
> *D'un or jaunement crespelu*
> *Dont le fond semblait une rose*
> *Non encore à demi-desclose*

Cette « rose » naguère, lors de certaines périodes d'irri-
tation, se montrait, par caprice, « cruelle » à l'amant (la
femme « cruelle » est celle qui repousse les avances de
l'amoureux) ou même elle était si déchirée et si lasse qu'elle
ne pouvait supporter le poids du « blanc habit de pourpre ». Ce « blanc habit de pourpre » que Méry alors « déla-
çait », qu'est-ce sinon la serviette hygiénique, blanche à
l'extérieur mais rouge de sang par dessous? Grammaticalement « du blanc habit de pourpre » est un complément

qui dépend de « lasse ». Pour la commodité du lecteur, je
reproduis ici ce premier quatrain :

> Dame
>
>> *sans trop d'ardeur à la fois enflammant*
>> *La rose qui cruelle ou déchirée et lasse*
>> *Même du blanc habit de pourpre le délace*
>> *Pour ouïr dans sa chair pleurer le diamant*

Voyons maintenant ce que signifie le dernier vers du
quatrain. Mme Noulet a cru distinguer dans le mot « diamant » une forme symbolique du sexe masculin, s'opposant
à « la rose ». Je ne suis pas de son opinion. Pour Mallarmé, le diamant, étant pierre précieuse, suscite en lui,
comme je l'ai exposé dans la première partie de ce livre,
les idées d'inutilité et de stérilité. Méry, dans sa souf-
france, se réjouissait, en sentant couler son sang, de ce
qu'elle était sûre, ce mois-là encore, de ne pas être mère.
Et si l'on m'objecte que je vais chercher bien loin mes
interprétations, je demanderai qu'on veuille bien se reporter aux vers de *Refus* où Mme Delarue-Mardrus, écartant,
elle aussi, « ses linges » comme elle dit, exprime de la
même façon, sa joie d'avoir échappé au danger d'être
mère :

> *J'approuve dans mon cœur l'œuvre libératrice*
> *De ne pas m'ajouter moi-même un lendemain*
> *Par l'orgueil et l'horreur d'être une génitrice...*
> *Et parmi mes coussins pleins d'ombre, je m'énivre*
> *De ma stérilité qui saigne lentement.*

Oui, maintenant — reprend le deuxième quatrain —
ces « crises de rosée » sont terminées. Pour comprendre
« crise », consultons le Littré qui nous enseigne que le
terme « crise » est un mot spécialement médical à son
origine avec le sens — dit Littré — « d'exsudation ou
d'hémorragie ». Et c'est bien une hémorragie qui, mensuel-
lement, se manifeste par une « rosée » sanglante.

Tous ces ennuis, il est vrai, ne duraient pas longtemps;
ce n'étaient que des orages passagers après lesquels recom-
mençait la vie quotidienne, la douceur d'une intimité affec-
tueuse. Ce bonheur, désormais, ne doit plus connaître aucun
nuage. Chaque année, tu m'apparais comme plus jeune

que l'année précédente. Qu'il suffit donc de peu de chose
(la célébration d'un anniversaire étant ce peu de chose!)
pour raviver en nous

Toute notre native amitié monotone

tout comme, quand notre chambre est trop chaude, il
suffit d'un battement d'éventail pour y ramener la fraîcheur!

Un distingué philosophe, directeur d'une excellente revue,
a bien voulu m'écrire pour m'informer qu'il se résignerait
à accepter mes interprétations précises à la condition que
je lui permette d'imaginer deux ou trois autres interprétations moins terre à terre. Comme je lui opposais que,
dans le poème commençant par « Dame », « crise de
rosée » ne pouvait avoir d'autre sens que « règles fémi-
nines » et que « délacer... le blanc habit de pourpre » devait
indiscutablement se traduire en clair par : dénouer une
serviette hygiénique, il me répondait : « Laissez-moi
penser que « crise de rosée » pourrait vouloir dire aussi
« crise de larmes » et que « le blanc habit de pourpre »,
cela pourrait désigner la gencive dans laquelle est encastré
l'émail des dents. » Non, lui ai-je dit, ces doubles ou triples
interprétations ne sont pas admissibles car, avec mon interprétation, fondée sur l'étymologie et sur les doctrines à
la fois philosophiques et philologiques de Mallarmé lui-
même, les poèmes se comprennent d'un bout à l'autre
tandis que les autres suppositions n'aident en aucune
manière, puisqu'elles sont entièrement gratuites, à éclairer
de façon continue, le sens de ces pièces.

SI TU VEUX, NOUS NOUS AIMERONS

D'après Robert de Montesquiou (*Triptyque de France*),
ce poème aurait été, comme le précédent, offert par Mallarmé à Méry Laurent le 1ᵉʳ janvier 1889.

Le poète demande à sa maîtresse de l'aimer silencieusement.

Cette rose, ne l'interromps
Qu'à verser un silence pire.

Interrompre la rose, c'est ouvrir la bouche comparée à

un calice de fleurs. En donnant leur baiser, les lèvres se tairont mais que leur silence sera pervers! « Pire » se rencontre souvent chez Mallarmé avec une suggestion de perversité. Quand on ne dit pas qu'une femme est jolie mais qu'elle est pire, n'est-ce pas indiquer qu'elle dispose de merveilleux artifices! Dans le chapitre suivant, nous parlerons du « sanglot pire » à propos d'un sonnet scatologique (*Petit air*, n° 2). Dans le *Rondel* (« Rien au réveil que vous n'ayez ») et dont nous ne traiterons pas autrement car il ne dissimule aucun mystère, il est question également d'une moue « pire ». Comme caractéristique de Villiers de Lisle-Adam, dans les *Médaillons et portraits* Mallarmé mentionne « un rire éperdu ou pire quand il se tait ».

La deuxième strophe énonce que :

> *Jamais de chants ne lancent prompts*
> *Le scintillement du sourire*

c'est-à-dire que la parole même la plus suave peut difficilement s'accompagner de l'éblouissement d'un sourire.

La dernière strophe est plus compliquée. Mallarmé ne nous y entretient plus seulement en effet du rôle des lèvres mais de l'activité amoureuse de la langue qu'il compare à un Sylphe se glissant dans la pourpre intérieure de la bouche aimée. Ce sylphe est muet puisqu'il s'agite silencieusement; il est « entre deux ronds » puisque les amants sont bouche à bouche. Mais pourquoi le mot : « muet » est-il répété deux fois de suite? Il me semble que le premier « muet » doit être substantif. Mallarmé a dû penser aux muets du sérail qui sont souvent des ennuques. On se rappelle comment, pour Mallarmé, le geste d'amour est criminel puisqu'il peut conduire à la procréation; la langue a cette supériorité sur le sexe que son agilité ne peut mener à de pareils résultats; elle est magnifiquement stérile et impuissante.

Quelles sont « les pointes d'ailerons » que fait vibrer un « baiser flambant »? Il faut, pour cela, nous souvenir que le sylphe de la mythologie est un être ailé; dans son effort amoureux, il s'écartèle

> *jusqu'aux pointes des ailerons.*

O SI CHÈRE DE LOIN...

Ce sonnet qui a paru dans la *Phalange* en janvier 1908, soit dix ans après la mort du poète est aussi dédié à Méry Laurent et on ne sait pas à quelle date il a été composé.

Mallarmé, loin de l'amante, regarde son portrait et il la sent toute proche de lui; ainsi sur certains bouquetiers, on peut respirer un parfum qui donne l'illusion de la présence de fleurs. « Aucun », dans le poème, n'a pas un sens négatif mais un sens positif comme dans l'expression « d'aucuns ». « On verra, par l'étymologie et par l'historique — déclare Littré — que *aucun* (*aliquis*) a essentiellement un sens affirmatif : que le sens négatif ne lui vient que par son adjonction avec la négative *ne;* et que, si la fréquence de cette adjonction a altéré la netteté de la signification primitive, elle ne l'a pas détruite en fait, et surtout ne doit pas la faire perdre de vue. » Cf. l'emploi de *any* en anglais.

Dans le second quatrain, il est encore question de « rose » mais ici, c'est la rose des lèvres; cette rose si éclatante de jeunesse comme elle l'a été dans le passé et comme elle restera toujours.

Il se peut que, dans le premier tercet (a-t-on conservé un manuscrit du poème?) il y ait une faute d'impression. (Mallarmé s'est toujours plaint des erreurs de ce genre qui déparaient son œuvre.) Peut-être faudrait-il lire : « *t'*entendre » au lieu de « s'entendre » :

Mon cœur qui, dans les nuits, parfois cherche à t'entendre...

Mallarmé, dans ce premier tercet, revient sur l'idée d'amour spiritualisé par le temps, idée qui vient d'être développée dans les pièces précédentes. Le poète dit qu'il se plaît maintenant à chuchoter le mot de «sœur» à l'adresse de Méry, ce mot d'affection que nous avons relevé dans la *Prose pour Des Esseintes.*

Mais ce qui est encore plus doux que l'appellation de « sœur », c'est — conclut le dernier tercet — les baisers silencieux posés sur les cheveux de l'amante.

Chapitre XXI

LES POÈMES SCATOLOGIQUES

Ce n'est pas seulement l'érotisme, au sens strict du terme, qui fournit à Mallarmé l'essentiel de son inspiration. La scatologie aussi tient une place assez importante dans ses thèmes. Voici en effet trois poèmes qui ressortissent nettement à cette préoccupation.

TOI QUI SOULAGES TA TRIPE

Le premier est un quatrain qui, lui, n'a rien d'hermétique, mais sa clarté même nous est fort utile car elle nous conduit à ne pas nous étonner quand l'examen minutieux d'une pièce hermétique de Mallarmé va nous amener à découvrir, au grand scandale des mallarméens orthodoxes, que des poèmes supposés de tendance mystique étaient incontestablement des œuvres consacrées aux plus basses fonctions du corps humain.

Ce quatrain est celui qui figure dans les *Vers de circonstance* sous le chiffre LXV avec ce titre sans équivoque :

Gravé sur le mur de W. C. communs à la campagne.

Et voici le quatrain :

> *Toi qui soulages ta tripe,*
> *Tu peux dans cet acte obscur*
> *Chanter ou fumer la pipe*
> *Sans mettre tes doigts au mur.*

Cette objurgation est probablement adressée par le poète aux terrassiers « dénués de gêne » dont il a longuement parlé dans *Conflit* (pp. 355 à 360, Editions de la Pléiade) et qui, venus construire le chemin de fer entre Fontainebleau et Paris, traitaient l'universitaire de « fumier » en donnant des coups de pioche à sa grille; c'est eux qui, vraisemblablement, lorsqu'ils utilisaient le buen-retiro de Valvins, laissaient sur le mur des marques irrécusables de leur passage.

LA MARCHANDE D'HERBES AROMATIQUES

Le deuxième poème est la seconde des *Chansons bas :* *La Marchande d'herbes aromatiques* où Mallarmé chante, tout justement, la joie innocente qu'il éprouve à « soulager sa tripe » dans une cuvette appropriée. Il ne s'agit, il est vrai, que, d'un fragment du thème principal : le métier de la marchande de lavande qui, dans les rues d'une ville méridionale, vend avec effronterie sa « paille bleue » à qui veut

> en tapisser la muraille
> *Des lieux, les absolus lieux*
> *Pour le ventre qui se raille*
> *Renaître aux sentiments bleus.*

S'il dépeint la commerçante comme offrant sa marchandise « d'un œil osé », il me semble très vraisemblable que le professeur d'anglais a songé, pour noter l'audace de la femme, à l'expression « *high-browed* », *brow* signifiant à la fois front et sourcil en anglais.

Les lieux, les « absolus lieux », ce ne peut être (vu le contexte, vu aussi le quatrain mentionné tout à l'heure) que les lieux d'aisance sur la porte desquels, à Marseille en particulier, on lit le simple mot « Lieux » en grosses lettres (et même en lettres dorées sur les vantaux des établissements publics). L'absence d'article devant un pareil pluriel sans l'adjonction d'aucune épithète et d'aucun complément a convaincu le poète-philosophe qu'il avait affaire à des lieux-archétypes, à une quintessence de la notion de lieux.

L'équivalent de : « toi qui soulage ta tripe » est ici :

pour le ventre qui se raille

car l'étymologie de railler, selon Littré, est « râcler ». Quant à la forme syntaxique : « pour le ventre... renaître aux sentiments bleus » il faut nécessairement la traduire ainsi : « pour permettre au ventre, tandis qu'il se soulage, d'être égayé par des rêves bleus » le bleu des rêves étant renforcé par la présence des brins azurés de lavande (1).

L'Edition de la Pléiade (p. 1475) nous apprend même (et toute notre reconnaissance doit aller au soin scrupuleux avec lequel Messieurs Mondor et Aubry ont enregistré cette variante) que la deuxième strophe était primitivement :

S'il

> *En décore la faïence*
> *Où chacun jamais complet,*
> *Tapi dans sa défaillance*
> *Au bleu sentiment se plaît.*

La faïence est celle qui orne la cuvette des W.C. (Quel est le métaphysicien fanatique qui oserait, sur l'honneur, soutenir le contraire?) Mallarmé imagine l'usager accroupi et s'adonnant à des rêveries en même temps qu'à la défécation, cette défécation au cours de laquelle le poids de son corps serait sans cesse variable si on s'avisait de le peser pendant l'opération.

Ce qui, jusqu'ici, a empêché les commentateurs de découvrir l'explication pourtant bien claire de cette pièce, c'est la vénération conventionnelle dont sont entourés tous les textes de Mallarmé dont il est entendu qu'ils ont tous une signification quasi-religieuse.

Je dois à la vérité d'ajouter que les W.C. de Valvins n'ont jamais comporté de cuvette en faïence. Henry Charpentier qui a souvent séjourné dans la maisonnette de Mallarmé m'a assuré que la cuvette était en plâtre sans ornements et que la « faïence » était ici une licence poéti-

---

(1) Cf. la joie de son contemporain Huysmans, lui si rarement satisfait, quand il termine *Sac au dos* par une sorte d'hymne où il dit son bonheur d'être installé dans des cabinets à lui. « Je suis chez moi dans des cabinets à moi. » Il va enfin — déclare-t-il — « savourer la solitude des endroits où l'on met culotte bas à l'aise ».

que, sans doute provoquée par la nécessité de donner une rime millionnaire à « défaillance ».

Si nous arrivons à la seconde partie du poème, nous nous apercevrons que, renonçant aux rêveries scatologiques, Mallarmé enregistre un autre emploi possible de la lavande : l'insertion de la plante dans une chevelure féminine (encore le thème de la chevelure!), afin de mettre en déroute les parasites. Pourquoi les pouilleuses du poème sont-elles désignées comme Zéphirine et Paméla? Peut-être simplement parce que la sonorité de ces deux noms plaisait à Mallarmé, Paméla ayant le grand avantage de procurer une rime très riche à « mets-là ». J'ai cherché, de plus, à savoir si par surcroît, Zéphirine et Paméla avaient été, de quelque façon, associées l'une à l'autre dans l'histoire de la littérature. Je n'ai rien trouvé dans les nomenclatures des romans à travers les âges; rien non plus dans les images d'Epinal. Peut-être un examen des chansons de cafés-concerts de l'époque nous renseignerait-il sur ce point. Ce qui m'intrigue, c'est que je me suis cru, un moment, sur une piste sûre mais elle ne m'a conduit nulle part. Le regretté H. Charpentier m'avait affirmé avoir découvert que Zéphirine et Paméla figuraient dans le fameux roman pour enfants par Desnoyers : l'*Histoire de Jean-Paul Choppart;* les filles sales et déguenillées du marquis de la Galoche, patron de cirque se seraient appelées Zéphirine et Paméla. L'explication était séduisante et H. Charpentier y tenait si fort qu'il m'avait prié avec insistance de lui attribuer cette découverte si j'y faisais allusion dans un article. Je m'acquitterais bien volontiers de la promesse que je lui avais faite mais, hélas! j'ai eu beau consulter les diverses éditions de Jean-Paul Choppart, j'ai dû constater que Desnoyers ne conférait aucun prénom aux filles du marquis de la Galoche. L'affirmation si énergique de Charpentier continue, malgré tout, à me troubler. Une confusion s'était-elle introduite dans son esprit entre le roman de Desnoyers et un autre livre de la même époque? Peut-être quelque chercheur achèvera-t-il un jour de résoudre l'énigme?

PETIT AIR (II)

Il me reste à indiquer une troisième pièce d'inspiration incontestablement scatologique. Un correspondant me l'avait signalée comme telle, mais il ne m'avait pas d'abord convaincu car il ne me donnait pas de précisions suffisantes et je ne voulais pas me prononcer sans être absolument certain. Ce n'est que tout récemment, après avoir scruté le poème sous tous ses aspects que je suis parvenu à en déchiffrer le sens complet. Il s'agit du deuxième poème de la série intitulée *Petit air* et qui commence par : « Indubitablement a dû. » Voici ce qu'il signifie.

Le poète se trouve seul dans un coin de forêt, probablement dans la forêt de Fontainebleau. Là, il lui arrive comme dirait Rabelais de « barytoner du cul ». Ecoutant retentir ce bruit insolite, il se demande d'où cette sonorité a bondi. Est-ce de son propre corps ou bien serait-ce un chant émis par un oiseau au ramage inconnu :

> *L'oiseau qu'on n'ouït jamais*
> *Une autre fois en la vie?*

De quel organisme est sorti ce zéphir?

> *Le hagard musicien*
> *Cela dans le doute expire*
> *Si de mon sein pas du sien*
> *A jailli le sanglot pire.*

« Le hagard musicien » est une métaphore pour : l'oiseau sauvage car « hagard », à ce que nous révèle Littré vient de l'allemand *Hag*, la haie et, toujours d'après Littré, le faucon hagard est celui qui n'est pas encore apprivoisé.

Mais c'est surtout l'expression « sanglot pire » qui nous aide à comprendre le sens général de ce poème inattendu. Si l'on se reporte au mot : sanglot dans Littré, on s'aperçoit en effet que Littré ne lui donne pas le sens de pleurs convulsifs que nous avons coutume de lui attribuer. Pour Littré, sanglot est un mot de sens strictement médical qui s'applique à un sursaut du diaphragme expulsant de l'air par la bouche. C'est — explique Littré qui fut médecin —

« une contraction spasmodique brusque et instantanée du diaphragme qui est aussitôt suivie d'un mouvement de relâchement par lequel le peu d'air que la contraction avait fait entrer dans la poitrine est chassé avec bruit ». Les citations justifiant cette définition sont du naturaliste Buffon et du médecin Ambroise Paré. Pour Buffon, « le cri de l'hyène ressemble aux sanglots d'un homme qui vomirait avec effort. » Pour Ambroise Paré « il n'y a pas grande différence entre la nausée et le sanglot (hoquet) vu aussi que c'est aussi un effort sans effet de l'expultrice du ventricule ». Mais le sanglot que décrit Mallarmé n'est pas un sanglot ordinaire, c'est un « sanglot pire », celui qui part dans la mauvaise direction, celui qui sort par le bas, au lieu de sortir par en haut. Il est piquant de constater que Jean Royère, exaltant la musicalité de ce poème, déclare que nul écrivain n'a mieux traduit « l'ascension d'un soupir ». Or, ce n'est pas à une ascension que nous assistons, mais à une descente bien caractérisée et ce que Mallarmé, en conclusion, souhaite qu'on lui dise, c'est quel a été finalement le destin de ce vent qui s'est envolé dans la forêt. Va-t-on le trouver un jour soit écartelé, soit demeuré entier et agonisant dans quelque sente du bois ?

Ce qui montre jusqu'à quel point les critiques consciencieux eux-mêmes sont impressionnés par l'atmosphère de mysticité qui flotte autour du nom de Mallarmé, c'est que Mme Noulet, n'ayant pu réussir à découvrir le sens de ce petit poème que nous venons d'expliquer, a déduit de son embarras que ce devait être un poème mystique. C'est — dit-elle — « une des chansons les plus tristes du recueil ». Elle suppose que *Petit air II* a été « écrit à une époque où le poète fut plus moqué et insulté que de coutume » et qu'il s'est tragiquement demandé « s'il y avait une vie possible pour ce qu'il avait chanté ».

M. Mario Roques, l'éminent membre de l'Institut, qui, depuis plusieurs années, a bien voulu se tenir au courant de mes exégèses, m'a envoyé, à propos de mon interprétation de *Petit Air II* un très curieux passage d'Aristide Bruant où, dans le recueil intitulé *Dans la rue*, le chansonnier associe, lui aussi, à une flatulence l'idée d'un chant d'oiseau :

De quoi donc?... On dirait d'un merle
Et j' viens d'entendre un coup d' sifflet
Mais non, c'est moi que j' lâche un' perle...
Sortez, donc, Monsieur, s'il vous plaît...
Ah! mais, on prend des airs de flûte,
On s' régale d'un p'tit quant à soi...
Va, mon vieux, pète dans ta culbute.
T'es dans la rue, va, t'es chez toi!

Le plus étrange, c'est que Mallarmé, avant de composer son *Petit Air* a dû avoir connaissance de ces vers de Bruant qui font partie du « monologue » dénommé *Philosophie* qui a paru en janvier 1887 dans un numéro du journal de Bruant le *Mirliton*. Le « monologue » doit même être antérieur à cela car c'est en 1885 que Bruant, lorsqu'il dirigeait le cabaret du *Chat Noir* lança ses « chansons naturalistes » que — nous dit le *Mirliton* — il allait réunir dans le volume ayant pour titre *Dans la rue*.

D'ailleurs, Bruant et Mallarmé avaient été condisciples au Lycée de Sens. Bruant réunissait même dans son appartement de la rue des Saules à Montmartre tous ceux de ses anciens camarades du Lycée qui n'aimaient pas se rendre aux réunions officielles de l'Association des Anciens Elèves de Sens où on n'était autorisé à figurer qu'en habit de soirée. Il est vrai, que la première réunion des labadens chez Bruant n'eut lieu qu'en 1890 et Mallarmé ne figure ni parmi les présents ni parmi les excusés dans la liste qu'a publié le *Mirliton*... à moins que ce ne soit lui l'auteur anonyme du compte rendu signé : « Un labadens O. A », c'est-à-dire : officier d'Académie. Il serait amusant de savoir si Mallarmé a appartenu à un de ces groupements : le groupement en habit ou l'autre. En 1893, Bruant a donné un concert à Sens et, à cette occasion, le *Républicain de Joigny* se demanda si le lycée « au siècle prochain ne s'appellerait pas Lycée Bruant ». « On voit des choses plus drôles », disait le journal qui ne paraît pas avoir songé que le Lycée mériterait aussi d'être appelé « Lycée Mallarmé ».

Encore un détail qui donne à réfléchir. Mallarmé et Bruant se servent tous deux comme rimes de l'adjectif argotique : *gnolle*. Dans *Crâneuses*, publiées dans le *Mirliton* d'octobre 1892, Bruant écrit :

> *Faut-il qu' nous soyons été gnolles*
> *D' laisser marcher aux Batignolles*
> *Un' fébois qu'est pas du quartier!*

Et, dans des *Vers de Circonstance* (*sur des galets d'Honfleur*, XVI), voici ce que dit Mallarmé :

> *Les Mesdames des Batignolles*
> *Sont ici flemmardes et gnolles*

Autre rime empruntée par tous deux à l'argot : le substantif gonze

> *Ici-bas, je n'étais qu'un gonze;*
> *Là-haut, j' serai ptêt' un séraphin,*

dit Bruant; et Mallarmé, sur une enveloppe destinée à Huysmans :

> *Rue (as-tu peur) de Sèvres onze*
> *Subtil séjour où rappliquer*
> *Satan tout haut traité de gonze*
> *Par Huysmans qu'il nomme J. K.*

Qui aurait cru qu'Aristide Bruant pût être une source de Mallarmé?

Encore un dernier mot avant de quitter la scatologie et c'est le professeur Mondor qui nous le fournira. Dans la revue éphémère *Sexual digest,* peu après que j'eusse publié dans les *Cahiers de la Lucarne* une étude sur l'Erotisme de Mallarmé, M. Mondor a donné, à peu près sous le même titre, en 1949, deux textes inédits en prose du poète : l'un, datant de 1865, sur l'utilisation du mot *amour* en poésie; l'autre, de 1867. Dans le premier texte, Mallarmé dit de l'Amour : « S'il n'est pas relevé » par un condiment étrange, la lubricité, l'extase, la maladie, l'ascétisme, ce sentiment, indéfini, ne me semble pas poétique. » Pour le second texte, M. Mondor déclare l'avoir isolé « pour son étrange mélange d'humour, de méditation et de salacité ». Mallarmé, après avoir disserté sur le mot « affaires » que les femmes emploient pour désigner leurs « règles » passe à des réflexions sur l'urine. « Voici — écrit-il — ce que j'ai entendu dire ce matin à ma voisine — désignant du doigt la croisée qui fait vis-à-vis de l'autre côté de sa rue : « Tiens, Mme Renaudet a mangé des asperges, hier. — A quoi vois-tu cela ? — A son pot qu'elle a mis hors de la fenêtre. » — Cela n'est-il pas toute la province, — sa curiosité, ses préoccupations et cette science de voir des indices dans les choses les plus nulles — et lesquelles ? Dire que les hommes en vivant les uns sur les autres en sont arrivés là ! » Cette citation me semble révélatrice en ce sens qu'elle nous prouve qu'il n'était pas une seule fonction digestive qui n'intéressât point Mallarmé. Peut-être ne déplairait-il pas à nos lecteurs de savoir qu'Emile Zola, suivant Léon Daudet, était, comme la plupart des sexuels (lesquels sont en même temps des olfactifs) attiré par le parfum de l'urine. « L'odeur de l'urine m'excite », disait-il.

Chapitre XXII

LES THÈMES DE L'ÉVENTAIL
ET DE L'ÉCLAIRAGE AU GAZ

L'éventail, au temps de Mallarmé, avait beaucoup plus d'importance que de nos jours. Comme dit Robert Burnand, dans son livre sur *La vie quotidienne en France de 1870 à 1900* (Hachette, édit.) :

> « Il existait des éventails pour toutes les heures de la journée, pour toutes les circonstances de l'année... On garde toujours son éventail à la main ou balancé au bout d'une cordelette de soie; voire d'une chaîne d'or, de métal ouvragé; on ne s'en sépare pas, même à table où il repose à côté des gants et parfois dans la même flûte à champagne. »

Mallarmé s'y intéressait d'autant plus qu'il avait dirigé en 1874 *La dernière mode* où il donnait des conseils aux dames sur la façon de choisir les bibelots qui rehausseraient leur beauté. Comment ne se serait-il pas préoccupé de l'éventail puisqu'il s'inquiétait même de l'évolution de cette partie du costume féminin qui s'appelait la « tournure » ?

> « A propos de Couturière, déclare-t-il, je me suis laissé affirmer (mais faut-il prédire?) que nous devons nous attendre à un changement absolu dans la *tournure*. On prétend qu'elle n'a plus de raison d'exister, les tailles ne devant plus être soutenues puisque cela est un fait presque vieux qu'elles se portent longues, et même très longues. »

Sous le pseudonyme de Marguerite de Ponty, Mallarmé, dans *La dernière mode* recommande l'achat d'un éventail.

> « ...en soie noire avec ganse rose, bleue ou grise pour toilette du matin, en soie blanche avec tableau pour les cérémonies. Le sujet se place de côté et non plus au milieu. Toutefois, rien ne vaudra jamais un éventail, riche tant qu'on voudra par sa monture ou même très simple, mais présentant, avant tout, une valeur idéale. Laquelle? celle d'une peinture ancienne, de l'école de Boucher, de Watteau et peut-être par ces Maîtres; moderne, de notre collaborateur Edmond Morin. Scènes de perrons d'hôtels ou des parcs héréditaires et de l'asphalte et de la grève, le monde contemporain avec sa fête qui dure toute l'année; voilà ce que nous montrent ces rares chefs-d'œuvres placés en des mains de grandes dames. »

Soit dans les proses, soit dans les poèmes de Mallarmé, il est très souvent question d'éventails et il arrive que des phrases concernant les éventails qui sont éparpillées dans des œuvres en prose vont nous aider à comprendre les passages obscurs se rapportant aux mêmes objets dans les poèmes.

Dans une des chroniques parisiennes de *La dernière mode*, il est question, passagèrement, d'un éventail à propos d'un sourire de femme que celle-ci a cherché à dissimuler. Tout le monde cependant a aperçu ce sourire.

> « Et c'est en vain que l'éventail qui crut d'abord le cacher, éperdu maintenant, tente de le ressaisir ou de dissiper son vol. »

Il est frappant que des mots comme « éperdu » et « vol » reviennent presque inévitablement sous la plume de Mallarmé chaque fois qu'il prend dans ses vers l'éventail comme sujet de méditation! Dans une page de *La dernière mode* encore, il s'agit d'une rumeur « chuchotée derrière les éventails » ou aussi de « femmes applaudissant du bout de leurs doigts gantés ou avec l'éventail. »

Dans les autres textes en prose de Mallarmé, on rencontre assez souvent le mot éventail. Rendant compte, en

1861, dans *le Papillon des Poésies Parisiennes* de
Des Essarts (1), il dit :

> « Le poète analyse les blessures plus souvent qu'il
> ne joue avec le carquois, il chante moins des péronelles
> d'éventail que les femmes. »

Pour une fois, Mallarmé semble parler ici des habitués
de l'éventail avec un peu de dédain.

Dans *Crayonné au théâtre* (2), une femme s'aide de son
éventail et aussi de sa main gauche, restée vide, pour faire
comprendre son mécontentement du spectacle. Page 374,
Ed. de la Pléiade, au cours d'un essai sur les « Etalages »,
Mallarmé nous dépeint une voyageuse qui, faute d'éventail,
achète l'été une brochure illustrée avant son départ, non
point pour la lire, mais pour l'interposer entre elle et le
paysage.

> « Ce que, pour l'Extrême-Orient, l'Espagne et de déli-
> cieux illettrés, l'éventail, à cette différence près, que
> cette autre aile de papier plus vive : infiniment et
> sommaire en son déploiement, cache le site pour rap-
> porter contre les lèvres une muette fleur peinte comme
> le mot intact et nul de la songerie par les battements
> approché. »

Ailleurs encore, l'éventail est pris par Mallarmé comme
élément de comparaison (*Le mystère dans les Lettres,*
p. 383) lorsque, s'attaquant à la foule incompréhensive,
hostile au goût du poète pour le mystère, il nous la montre
tranchant le différend « par un coup d'éventail de ses
jupes » « comprend pas » (3).

Un des poèmes, traitant de l'éventail dédié à Mme Mallarmé, existe en original, dans la collection du professeur
Mondor, écrit à l'encre rouge sur un éventail de papier

---

(1) P. 250, Edition de la Pléiade.
(2) P. 294, Ed. de la Pléiade.
(3) Ce coup d'éventail des jupes se retrouve dans le *Billet à Whistler* où
une danseuse qui, cette fois, personnifie la résistance de l'esprit bourgeois
secoue frénétiquement ses dessous de mousseline.

> *Sans se faire autrement de bile*
> *Sinon rien que puisse l'air*
> *De sa jupe éventer Whistler.*

argenté, orné de pâquerettes blanches. Mais je crois que l'idée centrale du poème a été surtout fournie à Mallarmé par les éventails recouverts de minuscules miroirs qui se détachent lorsqu'on les agite trop fréquemment et trop brusquement :

> *Avec comme pour langage*
> *Rien qu'un battement aux cieux*
> *Le futur vers se dégage*
> *Du logis très précieux.*

L'idée de l'éventail qui se consume en se mouvant évoque, en effet, chez le poète pour qui l'inspiration équivaut à « veillée amère », l'idée que chaque pensée profonde désagrège le cerveau du poète qui la conçoit. Ainsi va-t-il continuellement se sacrifier pour ses lecteurs dans son labeur méditatif. L'éventail apparaît comme un symbole de la mission du poète. C'est une idée un peu analogue à celle qu'a exprimée Daudet dans le conte de *L'homme à la cervelle d'or* où le chroniqueur se vide de sa substance chaque fois qu'il écrit un article nouveau.

C'est de la cervelle de l'écrivain, « logis très précieux », qu'au moment d'éclore, chaque vers se détache lentement en frémissant vers un idéal céleste tout comme c'est vers le ciel que monte le frisson de l'éventail. Cette conception du battement de l'éventail vers les cieux se retrouve encore dans une strophe d'un autre poème sur l'éventail et adressé cette fois à Mlle Mallarmé :

> *Vertige voilà que frissonne*
> *L'espace comme un grand baiser*
> *Qui fou de naître pour personne*
> *Ne peut jaillir ni s'apaiser.*

Mais revenons à notre premier poème. Dans la troisième strophe, Mallarmé explique comment, tout comme la pensée poétique se détache grain à grain du cerveau, de même les lames de mica qui adhèrent au tissu se séparent de celui-ci quand le mouvement de l'éventail se précipite. Le terme technique de mica (de *micare* briller) est remplacé ici par « miroir ».

A Mme Mallarmé, le poète conseille de manier moins fébrilement son éventail :

> *Aile tout bas la courrière*
> *Cet éventail si c'est lui*
> *Le même par qui derrière*
> *Toi quelque miroir à lui.*

« Aile » ici doit être pris comme un impératif du verbe ailer pris dans un sens transitif, Mallarmé n'hésitant pas à substituer un adjectif ou à transformer un nom en verbe. Dans le cas présent, ne s'y sentait-il pas particulièrement autorisé par l'exemple des poètes anglais qui emploient *wing* (l'aile) et comme substantif et comme verbe; par l'exemple aussi de Rimbaud qui, dans son *Bateau Ivre* en 1871, avait employé « ailer » comme verbe :

> *Et d'ineffables vents m'ont ailé par instants...?*

« Tout bas » c'est tout doucement mais ce n'est pas simplement cela. Il est vraisemblable que Mallarmé, pour qui la danse est le premier de tous les arts et qui, par surcroît, aimait les mots un peu déviés de leur sens habituel a été séduit par la nuance que l'expression a prise dans le vocabulaire chorégraphique et que Littré a enregistrée dans son *Dictionnaire* (j'ai eu l'occasion d'indiquer ailleurs comment Littré, pour Mallarmé, c'était la loi et les prophètes). La « danse bas » c'est le contraire de la « danse haut » ou acrobatique; c'est la danse dans laquelle l'artiste ne perd pas contact avec le sol. C'est dans ce sens qu'il convient, me semble-t-il, de prendre le titre de *Chansons bas,* autrement dit : chansons au ras du sol, celles qui décrivent le savetier, la marchande d'herbes aromatiques, le cantonnier, etc...

« Ta courrière », dans le sens de « ta messagère », convient d'autant mieux à l'éventail qu'il existait alors tout un répertoire des mouvements de l'éventail par lesquels une femme pouvait laisser deviner à un homme les sentiments qu'elle éprouvait pour lui.   ,

La deuxième et troisième strophe signalent que le poète se demande avec un peu d'inquiétude si c'est bien de l'éventail de sa femme ou de celui d'une autre dame qu'une lamelle de mica a sauté de la rangée des dames assises vers le groupe d'hommes qui, derrière, se tenaient debout. Le terme de « limpide » appliqué au miroir doit être pris

dans le sens étymologique de « brillant » (cf. le « limpide
nageur traître » du *Pître châtié*). Littré propose le grec :
lampô, briller, comme une des origines possibles de « limpide ». A Littré, Mallarmé se référait ainsi toujours dans
l'espoir d'y découvrir l'étymologie la plus curieuse et aussi,
s'il était possible, la plus lointaine avec la volonté de
recréer, par ce retour aux sources, ce qu'il nommait « la
langue suprême », celle que les hommes parlaient avant la
confusion des idiomes qui suivit l'écroulement de la Tour
de Babel.

Quand Mallarmé fait allusion à l' « invisible cendre,
seule à me rendre chagrin », il a l'intention de faire humo-
ristiquement comprendre qu'en tant que mari, il est seul
à avoir lieu de s'affliger de l'émiettement de la poudre de
mica superposée au tissu ou au papier puisque c'est lui
qui sera obligé de remplacer l'éventail, une fois que celui-
ci sera hors d'usage. Ce qu'il souhaite donc, et c'est là
sa conclusion, c'est que, malgré les dommages causés à
l'éventail par la nervosité de Mme Mallarmé, l'objet
garde, malgré tout, l'apparence d'être demeuré intact.

> *Entre tes mains sans paresse.*
> *Toujours tel il apparaisse*

Mallarmé s'amuse souvent ainsi à terminer ses poèmes
sur une note gouailleuse où il confesse ses soucis d'ordre
financier.

Dans *Autre Eventail*, cette fois dédié à Mlle Mallarmé,
c'est l'éventail lui-même qui prend la parole, expliquant
à la jeune fille comment, par un jeu savant de la main,
elle obtiendra « une fraîcheur de crépuscule », cependant
que la chaleur de l'air ambiant : « le paradis farouche »
sera absorbée par le tissu de l'éventail, cet objet d'aspect
homogène et qui, cependant, est composé de plusieurs sections pouvant se replier sur elles-mêmes ou encore se
déployer pour former un tout. « L' « unanime pli » telle
est la formule, toujours à la Delille, par laquelle Mallarmé
résume la physionomie de l'éventail. Magnifiquement le
poème s'achève sur la présentation de l'éventail fermé,
devenu sceptre entre les doigts de la femme et dont le
reflet blanc et rose vient se jouer sur l'or éclatant du bra-

celet comme les rayons du soleil couchant jouent sur la
luminosité d'un rivage.

> *Le sceptre des rivages roses*
> *Stagnants sur les soirs d'or, ce l'est,*
> *Ce blanc vol fermé que tu poses*
> *Contre le feu d'un bracelet!*

Dans la rime de « ce l'est » avec « bracelet » on reconnaît l'influence de Banville se délectant à la rime-jeu de
mots comme lorsqu'il rapprochait : « la boucherie » de
« sans que leur bouche rie ». Reste à savoir si, pareil diver-
tissement qui n'est guère musical lorsqu'il s'agit de sonorités comme « ce l'est » ne détruit pas, en grande partie,
l'effet de la belle image sur laquelle s'achevait le quatrain.

La signification de celui-ci s'éclaire quand on le place
auprès d'un autre quatrain isolé et consacré à l'éventail
de Mme de K... qui figure dans les *Vers de circonstance*
(p. 110 de l'Edition de la Pléiade, 17ᵉ poème) :

> *Fermé, je suis le sceptre aux doigts*
> *Et, contente de cet empire*
> *Ne m'ouvrez, aile, si je dois*
> *Dissimuler votre sourire*

Ce quatrain isolé est plus elliptique que le précédent
et pourtant plus aisément compréhensible à première vue
parce que la ponctuation y est plus richement distribuée
que dans l'autre. A Mme de R... Mallarmé conseille de se
satisfaire de l'autorité que lui donne son éventail lorsque,
fermé, il a l'apparence d'un sceptre; car l'éventail, une
fois qu'il serait ouvert, cessant ainsi d'être sceptre pour
devenir une aile, priverait les regardants du charme de son
sourire qui se cacherait alors derrière l'éventail déployé.

Un troisième poème, intitulé *Eventail* et qui commence
par :

> *De frigides roses pour vivre*

s'adresse à Méry Laurent puisqu'il s'achève par le vers :

> *L'arome émané de Méry.*

Là encore, le poète a pris plaisir à recouvrir à la rime-jeu de mots en donnant « émeri » comme pendant à Méry.

Ecrit à l'encre blanche sur le papier doré d'un éventail fleuri de roses et imprimé, ce sonnet fut remis en 1890 par l'auteur à Mme Méry Laurent.

La note dominante de tout ce décor est la blancheur, couleur particulièrement chère à Mallarmé qui aimait tant à contempler le « blanc ébat » de la neige. Les fleurs elles-mêmes de l'éventail sont « frigides » et leur calice est blanc. A leur contact, le souffle de Méry s'est vite senti devenir givre et s'est déposé sur l'éventail en inscription à l'encre blanche comme du gel. Inscription qu'interrompt la guirlande de fleurs qui ne renonce pas à son unité. A voir ces livides pattes de mouche mêlées aux roses blanches, on croirait — dit l'éventail, car c'est lui qui parle dans les deux premières strophes — que tout est à jamais glacé.

Mais, dit l'éventail dans la deuxième strophe.

> *Mais que mon battement délivre*
> *La touffe par un choc profond*
> *Cette frigidité se fond*
> *En du rire de fleurir ivre.*

En d'autres termes, il suffit que l'éventail soit mis énergiquement en mouvement et rompe par là même l'unité de la guirlande pour que toute la frigidité du décor se fonde dans une atmosphère de rire joyeux, né de la gaîté communicative de Méry.

Le mot de « touffe » m'avait d'abord dérouté, Mallarmé l'ayant, à plusieurs reprises, employé dans le sens de chevelure. Dans « Quelle soie aux baumes du temps », la « considérable touffe » c'est en effet la chevelure féminine, ce que, dans un autre passage de la même pièce, il dépeint comme

> *La torse et native nue*
> *Que hors de ton miroir tu tends*

La « touffe », c'était encore la chevelure, dans *l'Après-Midi d'un Faune* où deux sœurs amoureusement enlacées sont plongées dans un « splendide bain de cheveux ». Mais la « touffe », ici, c'est certainement la guirlande des roses.

La définition que Littré donne en effet comme interprétation de « touffe » est : « assemblage d'arbres, d'herbes, de *fleurs*, de plumes, etc..., en quantité et rapprochés ». Du moment que, dans son travail, Mallarmé se sentait couvert par Littré, il n'avait plus de scrupules, d'autant plus que la signification adoptée par lui ne contredisait pas les sens pris par ce vocable dans d'autres langues. « *Tufa* — note Littré — sorte d'étendard fait de plumes, usité chez les Romains. *Tufa,* qui est dans Végèce, appartient à la latinité dernière et est d'origine germanique ; suisse, *Zuffe,* une poignée de quelque chose ; allemand *Zopf,* touffe de cheveux ; anglais : *top,* sommet... » A la réflexion, il m'apparaît comme vraisemblable que Mallarmé a dû d'abord songer à identifier touffe avec éventail, puisque celui-ci est souvent fait de plumes comme la *tuffa* de la basse-latinité.

Dans les deux tercets du sonnet, ce n'est plus l'éventail qui a la parole ; c'est l'auteur qui, maintenant, le félicite d'exprimer mieux que tout autre objet familier le parfum paradisiaque de Méry mieux distillé, de cette manière, que si, dans un flacon hermétiquement clos, on avait tenté d'enfermer les effluves sortant de ce beau corps. Le mot : fiole (remarquons-le en passant) est un terme que Mallarmé emploie volontiers surtout lorsqu'il s'agit du récipient contenant le poison qui doit libérer le sage des soucis de l'existence. Dans les *Fleurs,* il salue les calices des pavots comme les « futures fioles » qui recéleront

> la balsamique Mort
> Pour le poète las que la vie étiole

Dans *Igitur,* le héros tient à la main la « fiole » où se trouve la « goutte de néant » qui lui permettra de disparaître au moment voulu par lui.

Mentionnons rapidement quelques autres allusions fugitives à l'éventail dans l'œuvre mallarméenne. Dans *A une petite laveuse blonde,* le poète évoque une silhouette de femme dans le parc de Versailles, au temps de Louis XV. Nous l'y voyons :

> pour qu'on sache que sa plume
> A moins de neige que ta main,

>   *D'un éventail baigné d'écume*
>   *Agaçant le cygne câlin*

Déjà, en 1861, dans une pièce composée à Sens et qui est presque entièrement adressée à Des Essarts avec pour titre : « A un poète immoral », l'éventail avait sa place :

>   *Watteau, fier de ta comédie*
>   *Qui sert aux sots d'épouvantail*
>   *A Terpsichore la dédie*
>   *Peinte sur un fol éventail*

C'est aussi à des jeux d'éventail que songe Mallarmé quand, dans la strophe suivante, il nous transporte dans un sous-bois, auprès de la bien-aimée du « poète immoral ».

>   *Bruns ægypans, noirs scaramouches*
>   *Au parc rêveur l'éventeront*
>   *La nommant déesse aux trois mouches,*
>   *Marquise ayant un astre au front*

Dans *Placet Futile* qui date de 1862 et que Debussy et Ravel mettront en musique, « Amour » est figuré comme « ailé d'un éventail ». Dans la première version du poème, c'est dans un autre vers que le mot « éventail » était cité :

>   *...Et Boucher, sur un rose éventail,*
>   *Me peindra, flûte en main, endormant ce bercail*

Parmi les *Vers de circonstance*, voici encore (p. 107, 108, 109 et 110, édition de la Pléiade) dix-sept quatrains et un distique, tous rangés sous la rubrique *Eventails*.

Avant de quitter le thème de l'éventail chez Mallarmé, il nous reste à indiquer la présence très épisodique d'un éventail dans le sonnet à Méry Laurent qui commence par

>   *Dame sans trop d'ardeur...*

où il est rappelé que chaque anniversaire de la femme aimée, loin de refroidir la passion de l'amant, l'exalte au contraire. Tout comme il suffit, déclare Mallarmé, de la présence d'un éventail dans une chambre pour en modifier l'atmosphère. D'un éventail « seul » dit la première version... D'un éventail « frais » dit la seconde. Frais étant

ici une épithète de nature : qui provoque la fraîcheur;
tout comme les « frais ombrages » de Boileau, cités par
Littré.

L'éclairage par le gaz est aussi un thème que traite
souvent Mallarmé. Au premier abord, il semble n'avoir
que peu de rapports avec le thème de l'éventail. Mais, pour
Mallarmé, les deux motifs se rattachent au même souvenir : celui des soirées passées au théâtre. Si le gaz l'atti-
rait parce qu'il se trouvait associé, de cette façon, à des
manifestations poétiques, Mallarmé cependant s'en méfiait
car si l'éventail avait, pour lui, le charme d'autrefois, le
poète en voulait au gaz de son modernisme et de sa vulgarité démocratique; il lui reprochait d'être « réel ». Il
avait le respect des bougies du XVIIe et du XVIIIe siècle,
semblable, sur ce chapitre, à bien des gens de son époque
comme Gyp qui se refusait à introduire la lumière du gaz
dans son salon. Dans sa méfiance à l'égard du gaz, il était
très fortement influencé par son maître Baudelaire, qui
nous montre le gaz comme associé aux débauches les plus
perverses.

Dans ses invitations en vers de la part d'Edouard Dujardin, à la soirée d'inauguration de *La revue indépendante*
en 1887, Mallarmé signale que :

> *La revue qu'avec bruit on nomme*
> *« Indépendante » sous peu pend*
> *Une crémaillère d'or comme*
> *Le gaz de son local pimpant.*

Dans le Sonnet d'inauguration du théâtre de Valvins,
1881-82, il informe un peu ironiquement le lecteur que la
grange où aura lieu la soirée sera embellie d'une rampe
de gaz :

> *Aucun toit si grossier ne leur paraît étrange*
> *Ils le peuvent changer vite en Eldorado*
> *Pour peu qu'au pli naïf qui tombe du rideau*
> *La rampe toute en feu mêle l'or d'une frange.*

Le « lustre aux mille cris » aussi apparaît dans *Crayonné
au théâtre;* toujours dans *Crayonné au théâtre*, Mallarmé
constate que la brutalité même de la lumière du gaz

détruit la conventionnalité dont la salle était imprégnée et donne aux pièces une plus haute allure. Si même — explique-t-il (p. 315) — il arrivait aux habitués des représentations théâtrales de monter sur le proscénium, tous leurs vices, sans qu'ils s'en doutent, se trouveraient immédiatement dévoilés par « un certain éclat subtil, extraordinaire et brutal de véracité que possède le gaz. Ceux qui s'exposent ainsi dans cette lumière crue sont, dit-il (p. 321), « flambés au gaz ».

Mais l'œuvre de Mallarmé où il est particulièrement question du gaz, c'est le *Tombeau de Charles Baudelaire* où, comme dans toute sa série de poèmes sur le trépas des grands hommes, il insiste sur ce développement que, de la personne du disparu, il ne subsiste rien. Tout au plus, admet-il dans ce poème particulier que, de la décomposition du corps illustre, il se dégage pendant quelque temps des borborygmes qui peuvent donner naissance à de la lumière. Ainsi, dans un domaine très spécial, Mallarmé reprend-il la doctrine baudelairienne de *la Charogne* qui, en pourrissant, rendait « à la grande Nature tout ce qu'ensemble elle avait joint ».

Le « temple enseveli », c'est une des périphrases à la Delille dont Mallarmé était coutumier et qui désigne le tombeau.

Dans les deux premiers quatrains, Mallarmé passe en revue les diverses formes de luminaires à travers les âges. A ce problème de la « monographie des lampes » comme il dit, il a aussi touché en prose dans sa seconde Lettre sur l'Exposition Universelle de Londres et encore dans *La dernière mode* où il a consacré (p. 736) un « feuillet » « d'après Marliani, tapissier-décorateur » à « l'adaptation du gaz aux lampes juives de Hollande ».

Le premier luminaire qu'il examine, c'est la lampe en céramique d'où la flamme sort en sifflant par un muffle cambré d'animal :

> *Tout le museau flambé par un aboi farouche.*

Cette tête d'animal fait songer le poète à un Anubis puisque ce dieu avait un visage de chacal.

Ensuite, c'est au « gaz récent », c'est-à-dire récemment introduit dans nos mœurs, que pense Mallarmé : au bec papillon; papillon souvent de forme torve qui éclaire l'escalier des hôtels meublés complices de toutes les débauches. Se consumant sans aucune protection contre les courants d'air, le gaz — comme l'a écrit Mallarmé dans *La dernière mode* (p. 736).

> « ...ne pénètre pas plus avant dans nos intérieurs que l'escalier et parfois les paliers; il ne franchirait la porte de l'appartement, pour en éclairer les antichambres, que vague, adouci et voilé par le papier transparent d'une lanterne chinoise ou japonaise.
>
> Filant dans des verres — poursuit Mallarmé (p. 736) — il (le gaz) apporte aux séjours d'intimité les réminiscences de lieux publics, évitables malgré tout le bénéfice à tirer de cet agent actuel d'éclairage. Si la lampe, qui verse le calme doré de l'huile, est studieuse, comme la bougie, où voltige une lueur ardente, est mondaine, le gaz, lui, a des caractères très spéciaux : celui, principalement, d'un esprit toujours à nos ordres, invisible et présent.
>
> Or, presque tous les appareils qui nous distribuent cette clarté, sont hideux, et ne gardent de son apparition moderne qu'un aspect « camelote » et banal : bronze, zinc, etc. Il s'agirait d'adapter le gaz à quelque objet traditionnel et familier, beau; et non tricher avec lui, mais de le montrer à même, et je dirais nu, si sa nudité n'était l'impalpable! bref, avec tout son effet de magie. »

La « mèche » de gaz des hôtels meublés est, dit Mallarmé, « essuyeuse, on le sait, des opprobres subis ». Référons-nous à Littré et à l'étymologie qu'il donne du verbe « essuyer ». « Essuyer », suivant Littré, peut avoir deux origines : l'une *exsuccare,* enlever le suc, l'humidité; l'autre *exsequi,* supporter, que Littré présente comme ayant été fournie par Schéler et qui ne se justifie que dans des cas plus rares. Mais justement, ce sont les étymologies peu connues et les significations peu fréquentes qui exercent un attrait sur Mallarmé! C'est dans le sens de « subir, être soumis à », qu'il emploiera essuyer le plus volontiers. Dans une lettre à Méry Laurent publiée dans le n° spécial des *Lettres* paru sur Mallarmé en 1948, il dit :

J'ai essuyé un reste d'influenza traînant encore par
ici ou je ne comprends rien à ma lassitude.

Décrivant son arrivée à la gare parisienne du PLM,
il a, semble-t-il, pris très strictement « essuyé » dans le
sens de « supporté par » lorsqu'il nous montre le voyageur
pénétrant dans le hall vitré, essuyé, c'est-à-dire soutenu
par une divinité ailée. Il est vrai que, page 418, Mallarmé donne à « essuyer » son sens le plus usuel. Il y parle
en effet d' « essuyer la poussière aux chefs-d'œuvre ».

La troisième forme de luminaire enfin dépeinte par
Mallarmé est le gaz à manchon (modèle Auer) qui, au
poète hanté d'érotisme rappelle la forme d'un phallus. Il
n'y aurait rien de surprenant à ce que par « immortel
pubis » Mallarmé entendît un phallus qui conserve sans
intermittence toute sa vigueur! L'éclat fixe de ce bec à
manchon (le sonnet sur Baudelaire date de 1893) est plus
sauvage que celui du bec papillon. Le caractère farouche
de cet éclat est exprimé dans le poème par le terme
« hagard ».

Le faucon hagard, de l'allemand Hag, la haie, est — dit
Littré — celui qui ne s'apprivoise pas facilement. Littré
ajoute que « hagard », au figuré, signifie : qui a l'air
farouche et sauvage comme ces faucons ».

Plus agressif encore dans sa grossièreté que le bec papillon, le gaz à manchon n'est même pas admis à l'intérieur
d'une maison. C'est dans la rue qu'on rencontre ce vau-
rien sans domicile.

Dont le vol selon le reverbère découche

Au rebours du bec papillon, il est protégé par une cage
de verre, un réverbère, le réverbère, suivant Littré, étant
une « lanterne munie d'une lampe et d'un ou plusieurs
réflecteurs et qui sert à éclairer une rue, une place ». Selon,
étymologiquement, c'est : le long de et à plusieurs reprises,
Mallarmé l'emploie dans ce sens. (Cf : « pli selon pli »
dans *Remémoration d'amis belges*). Ce n'est que sur la
voie publique et sous la protection d'une boîte de verre
que l'on peut voir le gaz à manchon. Dans le *Vin des
chiffonniers*, Baudelaire avait décrit le gaz du réverbère
s'agitant dans la tempête et il est possible que, comme l'a

supposé M. Charles Mauron, Mallarmé ait trouvé là le point de départ de son *Tombeau de Baudelaire*, mais l'auteur des *Fleurs du Mal* n'avait encore connu que le bec papillon à l'intérieur de l'habitacle en verre :

> *Souvent à la clarté rouge d'un reverbère*
> *Dont le vent bat la flamme et tourmente le verre...*

Comme dans tous ses poèmes sur les morts célèbres, Mallarmé a ici employé la première partie de la pièce à montrer que, dans le tombeau, il ne restait plus rien de ce qui avait constitué la valeur spirituelle de l'écrivain. Dans les derniers tercets, il va déclarer que l'hommage à rendre à Baudelaire, c'est d'évoquer sur sa tombe son souvenir ainsi que celui de ses *Fleurs du Mal* dont la perversité même est devenue pour nous un indispensable réconfort.

Une couronne de feuillage trop vite desséchée dans des « cités sans soir » comme nos villes modernes où la lumière persiste même après la chute de la nuit ne serait pas pour le tombeau un honneur, une bénédiction bien efficaces, même si c'était à une statue en marbre de l'écrivain qu'on la suspendait. Ce qu'il faut entretenir en ce lieu, c'est la pensée de l'Ombre de Baudelaire.

> *Celle son Ombre même en poison tutélaire*
> *Toujours à respirer si nous en périssons.*

Le terme « respirer » a été évidemment dicté à Mallarmé par le titre du recueil : « Les Fleurs du Mal » qui communiquent leur poison à celui qui s'enivre de leur parfum. « Celle » c'est « *Ecce illa* », donnée comme étymologie à « Celle » par Littré.

Dans le deuxième vers du premier tercet, Mallarmé qui n'a pas encore prononcé le mot : ombre, en annonce la venue en se servant du vocable mystérieux : « elle » auquel « ombre » va, un peu plus loin, se substituer.

Une assez étrange expression à laquelle recourt Mallarmé est celle de « se rasseoir », qu'il associe à l'image de l'Ombre de Baudelaire, impalpable et frissonnante sous les voiles qui l'enveloppent. C'est que « se rasseoir », et c'est ce qui dut déterminer le choix de Mallarmé, a des significations très variées qui durent se mélanger dans son esprit.

C'est avec satisfaction qu'en procédant à sa consultation habituelle de Littré, il constata sans doute que « se rasseoir », outre son acceptation ordinaire pourrait avoir le sens de « se reposer, se calmer » comme dans cette phrase de Molière : « Je veux prendre l'air pour me rasseoir un peu » ou dans ces vers de Chénier :

Une âme où, dans ses maux comme en un saint asile,
Il puisse fuir la sienne et se rasseoir tranquille.

Littré donne encore à « se rasseoir » cette signification : « s'épurer en se reposant » et donne comme exemple des textes d'ordre scientifique : l'un est de Raynal : « Le vin se rassied par le repos. Pour donner le temps à la fécule bleue de se précipiter au fond de la cuve, on la laisse se rasseoir jusqu'à ce que l'eau soit totalement éclaircie. » Et l'autre de Descartes : « L'eau de pluie, lorsqu'on la laisse rasseoir en quelque vase. »

INDEX DES NOMS CITÉS

TABLE DES MATIÈRES

Achevé d'imprimer par CHANTENAY, Paris, Janvier 1954.

Nº d'édition 781   Nº d'impression 1222   Dépôt légal 1ᵉʳ trimestre 1954

IMPRIMÉ EN FRANCE

AUBIER, ÉDITIONS MONTAIGNE, 13, Quai de Conti, **PARIS**

LITTÉRATURE

A. — *Ouvrages divers.*

Mirabeau. — LETTRES A YET-LIE.

Ernest Renan. — VOYAGES.

Sainte-Beuve. — CORRESPONDANCE LITTÉRAIRE.

George Sand. — LE ROMAN D'AURORE DUDEVANT.

George Sand. — L'HISTOIRE DU RÊVEUR.

Frédéric Soret. — CONVERSATIONS AVEC GŒTHE.

Talma. — CORRESPONDANCE AVEC MADAME DE STAEL.

B. — *Histoire Littéraire.*

M. Besset. — NOVALIS ET LA PENSÉE MYSTIQUE.

J.-A. Bizet. — SUSO ET LE DÉCLIN DE LA SCOLASTIQUE.

J.-A. Bizet. — SUSO ET LE MINNESANG.

L. Cazamian. — L'HUMOUR DE SHAKESPEARE.

G. Charensol. — COMMENT ILS ÉCRIVENT.

C. Digeon. — LE DERNIER VISAGE DE FLAUBERT.

Gérard-Gailly. — LE GRAND AMOUR DE FLAUBERT.

Victor Giraud. — LA CRITIQUE LITTÉRAIRE.

Henri Gouhier. — NOTRE AMI MAURICE BARRÈS.

H.-H. Houben. — GŒTHE ET LA POLICE.

Gustave Kahn. — SILHOUETTES LITTÉRAIRES.

Pierre Louys. — JOURNAL INTIME.

R. de Luppé. — DÉLIVRANCE PAR LA LITTÉRATURE.

R. Michéa. — LE « VOYAGE EN ITALIE » DE GŒTHE.

G. Polti. — L'ART D'INVENTER LES PERSONNAGES.

A. Tabarant. — LE VRAI VISAGE DE RÉTIF DE LA BRETONNE.

Willy. — SOUVENIRS LITTÉRAIRES ET AUTRES.

Ferdinand Brunot, Daniel Mornet, Paul Hazard. — LE ROMANTISME ET LES LETTRES.

Imprimé en France
Chantenay. Paris   S.   (B. C.)